THE SMOKY
SMIRR O RAIN

A Scots Anthology

THE SMOKY
SMIRR O RAIN

A Scots Anthology

EDITED BY MATTHEW FITT AND
JAMES ROBERTSON

First published 2003
by Itchy Coo
A Black & White Publishing and Dub Busters Partnership
99 Giles Street, Edinburgh EH6 6BZ

1 902927 81 8

Introduction, notes, text selection and arrangement
copyright © Matthew Fitt and James Robertson 2003

Other material copyright © the Contributors
The acknowledgments on pages x, xi and xii of this book constitute an
extension of this copyright page

A CIP catalogue record for this book is available from the British Library.

Scottish
Arts Council
LOTTERY FUNDED

Printed and bound by Creative Print & Design

CONTENTS

GOD

UNCO

TOUN

MOOSE

LOVE (II)

FREEDOM

FOLK

HAME

TRAGIC

MAGIC

DEID

GALLUS

LOVE (III)

SCOTLAND

FLYTE

SUN, SNAW, SMIRR

ACKNOWLEDGMENTS

Thanks are due to the authors and translators who have allowed their work to appear in this anthology, and to those publishers and copyright holders who likewise granted permission. Every effort has been made to locate copyright holders, but the editors will be happy to rectify any omissions in future editions.

Thanks to:
Birlinn Ltd. and Polygon, for permission to republish 'Kidspoem/Bairnsang' and 'Almost Miss Scotland' from *The Colour of Black & White: Poems 1984–2003* by Liz Lochhead
Sheena Blackhall for permission to republish 'Blessed wi the Gift', first published in *The Fower Quarters* (GKB Books in association with the Elphinstone Institute, 2002)
Carcanet Press Ltd., for permission to republish four poems by Hugh MacDiarmid: 'The Bonnie Broukit Bairn', 'Crowdieknowe' and 'The Innumerable Christ', first published in *Sangschaw* in 1925, and 'Empty Vessel', first published in *Penny Wheep* in 1926
Carcanet Press Ltd., for permission to republish an extract from *Cyrano de Bergerac* by Edwin Morgan, first published in 1992
Morag Corrie, for permission to republish 'The Image o' God' and 'Scottish Pride' by Joe Corrie
Mike Cullen, for permission to republish 'Acid Burns'
Colin Donati, for permission to publish the first chapter of his translation of Feodor Dostoevski's *Crime and Punishment*

ACKNOWLEDGMENTS

Matthew Fitt & Luath Press Ltd., for permission to republish an extract from *But n Ben A-Go-Go*, first published in 2000

Kätzel Henderson for permission to republish 'The Freedom Come-All-Ye' by Hamish Henderson

W.N. Herbert and Bloodaxe Books Ltd., for permission to republish 'Cabaret McGonagall' from *Cabaret McGonagall* (1996), and 'Tae a Mousse' from The *Laurelude* (1998), both published by Bloodaxe Books Ltd.

A.C. Hunter, for permission to republish 'Shy Geordie' and 'Fause Friend' by Helen Cruickshank

Malcolm Hutton, for permission to republish 'The Wild Geese' and 'Craigo Woods' by Violet Jacob

Kathleen Jamie and Pan Macmillan Ltd., for permission to republish 'Lucky Bag' from *Jizzen* by Kathleen Jamie

Robert Alan Jamieson, for permission to republish 'Sang oda Post War Exiles', first pubished in *Shoormal* in 1986

Tom Leonard, for permission to republish 'A Summer's Day', 'Feed Ma Lamz' and 'The Voyeur'

Priscilla Lorimer, for permission to republish an extract from *Macbeth*, translated into Scots by R.L.C. Lorimer

The Trustees of the W.L. Lorimer Memorial Trust Fund, for permission to republish two extracts from *The New Testament in Scots* by W.L. Lorimer

The Trustees of the W.L. Lorimer Memorial Trust Fund and the heirs of George Campbell Hay, for permission to republish 'The Smoky Smirr o Rain' by George Campbell Hay

James McGonigal, for permission to publish his translations of two poems by Gerard Manley Hopkins

Adam McNaughtan, for permission to republish 'The Jeely Piece Song' and 'Oor Hamlet'

John McLellan, for permission to republish 'The Cat' by Robert McLellan

The Trustees of the National Library of Scotland, for permission to republish five poems by William Soutar

Stephen Mulrine, for permission to republish 'The Coming of the Wee Malkies'

Janet Paisley and Canongate Books Ltd., 14 High Street, Edinburgh EH1 1TE, for permission to republish an extract from *Not for Glory* by Janet Paisley, first published in Great Britain in 2001

Andrew Philip, for permission to publish his translations of two poems by Rainer Maria Rilke

The Proclaimers, Kenny MacDonald and Warner/Chappell Music Ltd., for permission to republish the lyrics of 'Throw the R Away' (words and music by Charles Reid and Craig Reid, © 1987 Zoo Music Ltd., Warner/Chappell Music Ltd., London W6 8BS, reproduced by permission of International Music Publications Ltd., all rights reserved)

The Queen's Printer for Scotland, on behalf of the Scottish Parliamentary Corporate Body, for permission to reproduce Scottish Parliamentary Copyright Material (examples of Scots words and phrases reported in the Scottish Parliament)

The Random House Group Ltd., for permission to republish an extract from *Trainspotting* by Irvine Welsh, first published by Martin Secker & Warburg in 1993

The David Rorie Society, for permission to republish 'The Lum Hat Wantin' the Croon' by David Rorie

Suhayl Saadi, for permission to publish his translation of an extract from the *Diwan* of Hafiz Shirazi

The Saltire Society, for permission to republish 'At Robert Fergusson's Grave' by Robert Garioch

Steve Savage Publishers Ltd., for permission to republish 'Bennygoak' by Flora Garry, from *Collected Poems* (Gordon Wright Publishing, 1995)

A.P. Watt Ltd. on behalf of The Lord Tweedsmuir and Jean, Lady Tweedsmuir, for permission to republish 'On Leave' and 'The Great Ones' from *Poems Scots and English* by John Buchan, first published in 1917

Thanks also to Alan Keay, Ann Matheson, Andy Philip and Louise Yeoman for general help and advice in the compilation of this book.

INTRODUCTION

Think of this anthology as a ceilidh.

Not a manic stampede round a draughty kirk hall with folk skitin about in *Monarch of the Glen* tartan waistcoats and Hunting Stewart sashes, but a ceilidh in the older, more traditional sense where people gather for a crack, a blether, some out-of-tune singing, maybe a wee jig, more often than not a rammy, always a laugh and (the ceilidh being a Scottish concept) a guid auld greet.

The voices for this ceilidh come not only from all the airts but from across the centuries as well. It is a pairty where Robert Louis Stevenson and Robert Burns make room at the bar for Bill Herbert, Janet Paisley and Irvine Welsh, where Hugh MacDiarmid takes Mary Queen of Scots for a hurl across the dance floor and the Proclaimers link arms with Sir Walter Scott, Kathleen Jamie, John Barbour and assorted MSPs to sing Hamish Henderson's 'Freedom Come-All-Ye'.

The stories told are the big ones about love, life and death. For most but not all of them, the setting is somewhere in Scotland. Sheena Blackhall and Flora Garry ponder home and identity, King James I and Tom Leonard chronicle affairs of the heart, and Mike Cullen and Robert Henryson rant and rhyme about mice. All are welcome in *The Smoky Smirr o Rain* as Gerard Manley Hopkins and Charles Baudelaire mix it up with Rainer Maria Rilke and Feodor Dostoevski, leaving Gavin Douglas, Joe Corrie and Robert Alan Jamieson to fight over who gets the last taxi home.

From the ballads to the Glesga banter to the Holy Bible and back again, this anthology presents the literature of the Scots language in a new and engaging way. The carefully selected pieces are arranged in clusters and appear under banner headings like TRAGIC, MAGIC, SCUNNER, GLAIKIT and GOD. Each section contains poetry, fiction, drama or non-fiction prose written by a variety of authors from different periods of history. These items can be read and contemplated together as part of the same theme to kickstart comparison and debate about changes in Scots writing, thinking and spelling. A quick look for example at the GOD section reveals a swatch of attitudes from wonder ('The Innumerable Christ') to praise ('Gode's Grandeur') to poking fun ('Feed Ma Lamz') to outright cynicism ('The Image o' God'). Students of the literary tradition will find more to intrigue and provoke them in LOVE, DEID, SCOTLAND and FREEDOM and less intense but equally rewarding writing in UNCO, GLAIKIT, GALLUS, MAGIC and MOOSE. Alternatively the reader can simply sit back and surf the amazing range and energy of the literature *The Smoky Smirr o Rain* has to offer.

And seatbelts must be worn at all times, especially when the smeddum of Scots is unleashed, as it so vigorously in the miscalling of a beauty pageant judge in Liz Lochhead's 'Almost Miss Scotland':

> Wan heuchter-choochter singer who wis a dead ringer
> For a cross between a pig in a poke
> And a constipated bubblyjock.

Lochhead writing in the 20th century hotwires her poem with the power of flyting, that centuries-old Scottish tradition of getting ripped into somebody else's mince in verse. In the 16th-century poem 'The Flyting Between Montgomerie and Polwart' we find two writers similarly engaged in pitched verbal battle:

> Polwart, yee peip like a mouse amongst thornes;
> Na cunning yee keepe; Polwart, yee peip;

INTRODUCTION

Ye look like a sheipe and yee had twa hornes...

The worse the insult, it seems, the better the flyting:

Vyld venymous viper, wantheivinest of thingis,
Half ane elph, half ane aip, of nature denyit,
Thow flyttis and thow freittis, thou fartis and thow flingis...

In a country where half the population, with a demented sense of over-confidence, regulary promises to "walk a million miles for one of your goals, O Scoh-oh-otland", it should come as no surprise that the Scots have also been exaggerating in literature since quill and ink first joined together on a makar's desk. The pages of *The Smoky Smirr o Rain* are liberally peppered with hyperbole, but the writer who captures the Scottish swagger with the deftest touch is Robert Burns:

And I will luve thee still, my dear,
Till a' the seas gang dry.

Till a' the seas gang dry, my dear,
And the rocks melt wi' the sun;
And I will luve thee still, my dear,
While the sands o' live shall run.

In 'A Red, Red Rose' our national bard, in the persona of a lad courting his lass, gives us one of the most over-the-top yet helplessly endearing chat-up lines in world literature. Burns, by casting his poetry with memorable refrains, simple imagery and strong narrative drive, often tapped into the power of the ballads. That Scots has been more spoken and sung than written has always attracted writers to the oral tradition, and throughout this anthology ballads pop up like anonymous but welcome guests sharing their unco and magical tales:

The Smoky Smirr o Rain

O Allison Gross, that lives in yon tow'r,
  The ugliest witch i' the north country,
Has trysted me ae day up till her bow'r
  And mony fair speech she made to me.

She show'd me a mantle o' red scarlet,
  Wi' gouden flow'rs and fringes fine;
Says, "Gin ye will be my lemman sae true,
  This gudely gift it sal be thine."

"Awa, awa, ye ugly witch,
  Haud far awa, and lat me be;
I never will be your lemman sae true,
  And I wish I were out o' your company."

Poetry is one of the jewels of Scottish culture, and consequently has often dominated anthologies of Scottish literature, but *The Smoky Smirr o Rain* delivers a healthy account of prose in Scots too. The 16th-century Burgh Records of Glasgow make for some fascinating reading, as does Tammas Bodkin's impassioned diatribe about world politics published in *The People's Journal* in 1879. Colin Donati's meticulous and vivid translation from the Russian of Dostoevski's *Crime and Punishment* reminds us that we need not always meet the literature of the world through the medium of English, and the sheer energy of the Scots in 'The Tale of Tod Lapraik' only sharpens the sense of regret that Robert Louis Stevenson wrote so few of his marvellous stories in the Mither Tongue.

This volume jouks gallusly from early writing to contemporary fiction to the most celebrated songs and to some less well-known pieces of prose and exposition, thumbing its neb at the tyranny of chronology. The juxtaposition of the likes of William Dunbar and Robert Fergusson with Charles Baudelaire and Irvine Welsh, together with the accompanying biographical and contextual notes, gives an unorthodox and original overview of those who have written and who

INTRODUCTION

write in Scots, and perhaps disturbs some long-held prejudices and assumptions.

For although this anthology is a celebration of the richness of Scottish writing, it also contains a warning and a statement of intent.

Every item in this book is written in the Scots language, but the density of that language varies greatly from piece to piece. If some poems and stories seem at first difficult or even impossible to read, it is because we as a nation have over the years inadvertently damaged our own Mither Tongue.

How many of us have been told off for saying "aye" at the wrong moment? Who has not been admonished at least once in their life for not speaking "properly"? How many have been accused, or have accused others, of being lazy or slovenly in speech, even of speaking "the language of the gutter"? For a long time Scots words have been met by Scottish society with disapproval and horror and held up as evidence of a speaker's inferior intelligence. The result of so many people being told that their natural speech is bad has been that a great deal of vocabulary has fallen out of common use. At the start of the 21st century there are surprisingly large numbers of people who are unable to explain simple Scots words such as *brae* or *burn*, and many more for whom the experience of reading poems and stories in Scots is akin to reading a foreign language.

That Scottish people have been dislocated from their own literature is a national scandal; but that generations of parents and teachers have sought to make their children speak "properly" or "better" is entirely understandable.

Keen to see them get on in life, Scots folk have encouraged their offspring to speak English – the language of business and power, and of access to these things – and to dismiss or diminish their Scots voice. The terms "properly" and "better" are subjective but have become the way Scots habitually refer to the English language, thereby raising its status and in turn denigrating Scots and devaluing it as "slang". No one can really be blamed for doing this; who can be blamed for wanting their bairns to get on in the world? Yet this attitude has led us to do serious harm to that most precious resource, a people's own language. At the same time – sometimes almost in the same breath – people can express a tremendous fondness for old Scots words and songs, and a nostalgia for what they perceive as the language of childhood. It is as if Scots is something which, for our own good, we should learn to grow out of, but which we then find is too much a part of us to leave behind. We need to apply some love, care and attention to the Scots tongue, or in a few short generations it may disappear forever.

For no other country on earth uses Scots as a means of communication. It is unique to Scotland and is our own way of articulating the world. No one else will look after it for us. The responsibility for this language is ours and ours alone.

But what *is* Scots? Take a look at this list of words. How would you describe them?

Hoose. Coo. Dreich. Bonnie. Scunner. Hame. Greet. Kirk. Dug.

Do you instinctively think "slang"? Does the phrase "bad English" leap into your mind? Some might suggest "makey-up" while others, perhaps a little hesitatingly, may answer "Scots". It is likely that the odd one or two, panicking, might opt for "Gaelic" or even "Latin".

All of these words belong to the Scots language, and in order to get the most out of this anthology, it is essential that the reader knows what that language is and where it comes from.

Scots is a Germanic language that grew to prominence in Scotland in the 14th century. It is a unique blend of Anglo-Saxon, Norse and French which was brought by the northern English servants and craftsmen of Norman lords who were granted lands in Scotland in the early Middle Ages. Originally called *Inglis*, it was only one of many languages spoken in Scotland at that time, Gaelic, French and Latin being the most important of these. But when the Normans established burgh towns throughout the kingdom, it was Inglis that was used as the language of trade and commerce and was soon after adopted by the nobility as the language of parliament and state.

INTRODUCTION

Around the 1490s the language was rebranded *Scots* during a golden era of Scottish poetry, the leading lights of which were William Dunbar, Robert Henryson, Gavin Douglas and, later, Sir David Lyndsay, known collectively as the *Makars* and all represented here.

Changes to the political make-up of Scotland, however, had a serious impact on the fortunes of Scots. In 1603 James VI of Scotland became James I of England and the royal patronage that the language had enjoyed for many reigns disappeared almost overnight. English from that point onwards was the official language of the United Kingdom. This separation of Scots from formal usage was further reinforced by the publication in 1611 of the Authorised Bible in English.

Although official documents were no longer written in Scots, it continued to be the currency of spoken communication throughout all levels of society in Scotland until late in the 18th century, but increasingly people who wished to prosper sought to learn to speak and write English as well as their southern neighbours. Irish actors ran classes in the Assembly Rooms in Edinburgh to teach those who could afford the fee correct English pronunciation. The Scottish intelligentsia asked their English colleagues to edit any stray Scots words out of their works, children were punished for speaking Scots in the classroom and it was predicted, sometimes cheerfully, sometimes with regret, that the demise of the language was imminent.

Yet at precisely this time a revival in Scots poetry was in train – as if, just at the moment when some much-loved but well-worn belonging was about to be trashed, a deep-seated instinct set about repairing and restoring it. Allan Ramsay, Robert Fergusson and Robert Burns struck chords with readers who did not wish to see Scots disappear, and who, more importantly, needed it to give expression to their view of the world in which they lived. Ever since the era of Burns, Scots has been re-energised at crucial moments as a written language, and the frequent reports of the death of the Scots tongue have repeatedly been found to be premature – as indeed, we hope proves to be the case with the warning in this Introduction. If in the 1780s Burns restored Scots as a language for poetry (how many of us in primary school had to learn and recite a Scots poem?), in the 1920s Hugh MacDiarmid began a literary movement that harked back to the medieval Makars, reached deep into the nation's psyche and made people see once again the potential of Scots as a language for serious things. In the early 21st century, although some writers still argue about what precisely Scots is, and others expend vast amounts of energy worrying about how to spell it, it is being used in literature as vigorously and variously as ever.

The Smoky Smirr o Rain is a ceilidh and a celebration. It is also part of a series of books intended to bring readers, young and old, back to literature in Scots, or to it for the first time. Itchy Coo was established to provide "braw books for bairns o aw ages" and at the time of writing fifteen more Itchy Coo titles are available and being used in homes, schools and libraries in Scotland and around the world. If *The Smoky Smirr o Rain* is read and studied alongside the activity book *Eck the Bee*, the Greek and Roman myths found in *The Hoose o Haivers*, and the manky mingin rhymes of the junior poetry title *King o the Midden*, readers may find themselves entering a treasure house of literature and experience which they can re-visit without the aid of a guidebook to their own culture or a glossary explaining what their own language means.

A smirr is a fine light rain. Our hope is that this new anthology will fall as a fresh invigorating smirr of poetry, drama and prose to wash away the clart and stoor that has hidden for too long the beauty of our own Scots tongue.

Matthew Fitt and James Robertson
(October 2003)

SPEAK

Kidspoem/Bairnsang

it wis January
and a gey dreich day
the first day Ah went to the school
so my Mum happed me up in ma
good navy-blue napp coat wi the rid tartan hood
birled a scarf aroon ma neck
pu'ed oan ma pixie an' ma pawkies
it wis that bitter
said *noo ye'll no starve*
gie'd me a wee kiss and a kid-oan skelp oan the bum
and sent me aff across the playground
tae the place Ah'd learn to say
it was January
and a really dismal day
the first day I went to school
so my mother wrapped me up in my
best navy-blue top coat with the red tartan hood,
twirled a scarf around my neck,
pulled on my bobble-hat and mittens
it was so bitterly cold
said *now you won't freeze to death*

The Smoky Smirr o Rain

gave me a little kiss and a pretend slap on the bottom
and sent me off across the playground
to the place I'd learn to forget to say
it wis January
and a gey dreich day
the first day Ah went to the school
so my Mum happed me up in ma
good navy-blue napp coat wi the rid tartan hood,
birled a scarf aroon ma neck,
pu'ed oan ma pixie an' ma pawkies
it was that bitter.

Oh saying it was one thing
but when it came to writing it
in black and white
the way it had to be said
was as if you were posh, grown-up, male, English and dead.

Liz Lochhead

2

Throw the R Away

Ah've been so sad
Since you said ma accent wis bad
He's worn a frown
This Caledonian clown

Ah'm just gonna to have to learn to hesitate
To make sure ma words on your Saxon ears don't grate
But ah wouldn't know a single word to say
If ah flattened all the vowels
And threw the R away

Some days ah stand
On your green and pleasant land
How dare ah show face
When ma diction is such a disgrace

You say that if ah want to get ahead
The language ah use should be left for dead
It doesn't please your ear
That's a pity, that's a pity
And though you tell it like a leg pull
I think you're still full of John Bull
You just refuse to hear

Oh what can ah do
To be understood by you
Perhaps for some money
Ah could talk like a bee drippin honey

Song by The Proclaimers

The Voyeur

what's your favourite word dearie
is it wee
I hope it's wee
wee's such a nice wee word
like a wee hairy dog
with two wee eyes
such a nice wee word to play with dearie
you can say it quickly
with a wee smile
and a wee glance to the side
or you can say it slowly dearie
with your mouth a wee bit open
and a wee sigh dearie
a wee sigh
put your wee head on my shoulder dearie
oh my
a great wee word
and Scottish
it makes you proud

Tom Leonard

SCUNNER

On His Heid-Ake

My heid did yak yester nicht,
This day to mak that I na micht.
So sair the magryme dois me menyie,
Perseing my brow as ony ganyie,
That scant I luik may on the licht.

And now, schir, laitlie, eftir mess,
To dyt thocht I begowthe to dress,
The sentence lay full evill til find,
Unsleipit in my heid behind,
Dullit in dulness and distress.

Full oft at morrow I upryse,
Quhen that my curage sleiping lyis.
For mirth, for menstrallie and play,
For din nor dancing nor deray,
It will not waukin me no wise.

William Dunbar

mak: write menyie: hurt ganyie: arrow mess: Mass to dyt thocht I begowthe to
dress: though I began to address myself to writing sentence: theme unsleipit: not
having slept dullit: made dull curage: spirit menstrallie: minstrelsy
deray: revelry waukin: waken

Address to the Toothache

My curse upon your venom'd stang,
That shoots my tortur'd gooms alang,
An' thro' my lugs gies mony a twang
      Wi' gnawing vengeance,
Tearing my nerves wi' bitter pang,
      Like racking engines!

A' down my beard the slavers trickle,
I throw the wee stools o'er the mickle,
While round the fire the giglets keckle
      To see me loup,
An', raving mad, I wish a heckle
      Were i' their doup!

When fevers burn, or ague freezes,
Rheumatics gnaw, or colic squeezes,
Our neebors sympathise to ease us
      Wi' pitying moan;
But thee! – thou hell o' a' diseases,
      They mock our groan!

Of a' the num'rous human dools –
Ill-hairsts, daft bargains, cutty-stools,
Or worthy friens laid i' the mools,
      Sad sight to see!
The tricks o' knaves, or fash o' fools –
      Thou bear'st the gree!

stang: sting   slavers: spittle   mickle: large   giglets: giggling youngsters
heckle: flax-comb   doup: backside   dools: woes   ill-hairsts: poor harvests
cutty-stools: repentance stools   mools: the earth of a grave   fash: annoyance
bear'st the gree: take the prize

6

SCUNNER

Whare'er that place be priests ca' Hell,
Whare a' the tones o' misery yell,
An' rankèd plagues their numbers tell
        In dreadfu' raw,
Thou, Toothache, surely bear'st the bell
        Amang them a'!

O thou grim, mischief-making chiel,
That gars the notes o' discord squeel,
Till humankind aft dance a reel
        In gore a shoe-thick,
Gie a' the faes o' Scotland's weal,
        A towmond's toothache.

                 Robert Burns

raw: row chiel: fellow gars: makes faes: foes towmond: twelvemonth

The Cat

There were three grocers' shops in Kirkfieldbank, but I was best acquant wi Mistress Yuill's. It had been a guid shop at ae time, clean as a new preen and weill stockit, and whan I was a laddie haurdly auld eneuch for the schule I could hae thocht o naething better than the chance o cawin in wi a bawbee. It wasna juist for what ye could buy, but for the sicht and smell o it. She selt gey nearly everything ye could think o, frae paraffin and cheese to weekly papers and tacketty buits, and ye could hae spent a haill efternune peerin into aw the odd neuks at the faur end o the coonter, sniffin yer fill.

As time gaed bye, though, Mistress Yuill grew less able, and syne began to turn blin, and the last time I had cawed in the shop had been a fair disgrace, though the puir auld craitur couldna help it, nae dout. My first look at the winnock had gart me woner, for at ae end there was an auld grey cat sittin on a box o kippers, and at the tither a wheen sticks a gundie that the sun had meltit into ae big stickie mess.

I had come that day to Linmill for my simmer holiday, though, and Mistress Yuill's had aye been pairt o it, sae I didna let the winnock keep me oot. I liftit the sneck and pusht the door open.

The bell didna ping, and that was new tae. It gied a clatter like a pat lid. It was lood eneuch, for aw that, to hae brocht her forrit, but for a while there was nae sign o her, and I had rowth o time to hae a guid look roun.

It wasna plaisint. The flair was dirty and the coonter a fair clutter. Naething was fresh. The butter stank and the cheese was mouldie, and there was an auld ham-end aside the scales sae thick wi big blue flees that ye could haurdly see it. The papers, weeks auld by the look o them, were aw markit. At first I thocht the cat had dune it, and the marks o its pads were on them shair eneuch, but on a closer look I foun fingermarks, hunders o them; and no juist on the papers. Aw ower the coonter, aw ower the haill shop, there were fingermarks, creeshie, flourie and aw sorts; and there was a look aboot them that wasna cannie.

The auld grey cat rase aff the kippers and cam in frae the winnock, slinkin alang wi its tail up, rubbin its backside on everything it passed and purrin like a kettle on the beyl. I followed its een and a cauld shiver cam ower me. Mistress Yuill had come forrit, hoo I dinna ken, and was feelin her wey alang the coonter, layin her hands on this and that, sweeties, puddens, papers and aw, and her blank blae een were like the shutters o a toom hoose.

"Ay?"

I stude like a gommeril. I could think o naething to ask for. The cat pat its back up and spat in my face.

"Ay?"

"A pair o whangs."

It was aw I could think that wadna be foustie. They wad dae for my grandfaither.

The whangs were hingin frae a nail on a post that took the wecht o the upstairs flair. She felt alang the coonter for her knife, pawin the papers, and syne for the post, pawin the sweeties and puddens again. She ran her fingers ower the whangs to fin the ends o them. She cut aff twa.

"A penny."

I pat the penny on the coonter and turnt to rin.

"Haud on," she said.

She fingert the penny and let it drap on the coonter, listenin for the ring. It was a guid ane, nearly new. She felt for it, foun it, and haundit me the whangs.

"What is it?"

I couldna speak. Her een didna alter, but she soundit gey bitter.

"Ye're gey blate the day, Rab. Did ye think I wadna ken ye?"

Still I could say naething.

"Whan did ye stert usin whangs?"

"They're for my grandfaither."

"Ay, ay. Ye arena the first o the laddies to stop buyin sweeties."

I backit and fell ower a pail. The cat lowpit doun aff the coonter and spat in my face again. I ran for the door.

I gied her shop the bye frae that day on, though whan my grandfaither drave me to Kirkfieldbank I couldna help but pass it, and ilka time I spied the winnock I grued at the sicht o the cat.

It was aboot twa months efter, whan the strawberries were bye and the blae plooms were turnin ripe, that I drave wi my grandfaither to Lanark to the Cattle Show. On oor wey through Kirkfieldbank he lat me haud the reyns, sae I didna look roun muckle except mebbe to see if the folk were watchin me, but as we passed Mistress Yuill's I gied a keek for the cat, for I couldna get it oot o my mind. I lay wauken aw nicht, whiles, thinkin o it, and aye whan I foun mysell alane in the daurk I could see the wee nerra slits o its glintin green een.

The cat wasna there, or if it was it couldna be seen, for the shop was shuttert.

"Is it the hauf day, grandfaither?"

"Na."

"Mistress Yuill's shop's shut."

"Ay."

"Is she no weill?"

"That's richt."

"What's wrang wi her?"

"Naething."

"There maun be something wrang if she's no weill."

"Ay, there's something."

"What is it?"

"She's deid, but dinna speak aboot it."

"Whit wey that?"

"Dinna heed. Keep yer ee on the horse or I'll hae to tak the reyns mysell."

That was eneuch: I didna press him. But the neist day, whan I was doun at the fute o the bottom orchard haein a look at the blae plooms, I met my kizzen Jockie, and he telt me his wey o it.

Aboot a fortnicht syne Mistress Yuill had grown sae desperate that she had peyed a laddie to come in and help her. I kent the laddie weill, for his mither had poued strawberries at Linmill. She didna pey him muckle, Mistress Yuill, but aw he had to dae was soop the flair and redd things up, and watch that naebody gied her a penny for a hauf-croun. He ran errands, tae, but there couldna hae been mony, for up to that she had sent oot the messages by a laddie frae the schule, efter fower o' clock.

Noo this laddie, Will MacPherson was his name, had watchit Mistress Yuill, day in day oot, till he foun oot whaur she hid the till key. She didna tak it hame, for she had a son bidin wi her, a deil for drink.

Then, ae daurk wat windy nicht, whan the Kirkfieldbank folk were sleepin, and there was nae soun bune the blatter o the wind and rain and the swish o Clyde watter, he had creepit roun to the shop back and sclimmed up on to a shed there. Frae the shed rufe he was able to wriggle up the sclaits o the shop itsell, and in the end he won to the skylicht abune the flair upstairs. There was a gey drap doun, but he maun hae managed it, for he foun the till key and filled his pooches wi siller, as muckle as there was, and syne wi cigarettes and sweeties, though hoo he could hae stamacked the sweeties I dinna ken. Then he tried to fin his wey oot.

The skylicht was ower heich to grip frae the flair, sae he stude a chair aneth it and sclimmed up on to that. Still he couldna grip it, it seems, and he sclimmed up on to the chair back. It fell whan he tried that, as ye wad hae thocht, but it maun hae served his turn, for he was able to pou himsell pairtly through. That was as faur as he gat, for to mak room for himsell he had putten the skylicht richt back on the sclaits, whaur it couldna be fastened.

The wind brocht it bash ower his heid.

The neist mornin Mistress Yuill gaed alang to the shop, and likely she missed him, and whether she gaed up the stair for something she keepit there, or whether she had second sicht like the lave o blin folk, naebody could say, but up the stair she gaed. She couldna hae seen the laddie, that was certain, sae she maun hae felt him wi her haunds.

He was hingin by the chin frae the skylicht, wi his airms stickin up oot through it.

She didna gang hame that nicht at her richt time, and her son didna bother, but a neibor that aye had her kettle beylin gat worrit, and gaed alang to the shop. The meenit she opened the door the cat flew at her. She gat aff wi a scart or twa and gaed for Galbraith, the polis. They had to throw a tattie bag ower it afore they could win in, and whan they gaed upstairs they foun Will MacPherson, wi Mistress Yuill on the flair at his feet. The shock had been ower muckle for her.

That was the story I heard frae my kizzen Jockie, but it wasna the trith. He hadna been telt richt himsell.

I gat the trith frae my faither, whan I was aulder, at Tam Baxter's funeral. Tam Baxter had been ane o the men to gang in wi Galbraith.

The laddie hadna filled his pooches wi siller at aw. He hadna haen the chance. Whan they had foun him hingin they had haurdly kent him. His claes were aw bluid and his face was like butcher-meat.

The cat had gaen for him the meenit he had landit on the flair.

Robert McLellan

preen: pin   bawbee: a small coin   winnock: window   a wheen sticks a gundie: a few sticks of toffee   sneck: latch   rowth: plenty   creeshie: greasy   toom: empty gommeril: idiot   whangs: bootlaces   blate: bashful   grued: shuddered with horror soop: sweep   redd up: tidy up   the lave: the rest   scart: scratch

Greedy Heid

AW RITE MUKKER
AHM GREEDY HEID
Ah kin dae hunners of drugs and still be brand new!
5 Eckys, 16 Jellies, 2 Wraps ae Speed an a bottle of wine. Jist
tae get me in the mood!!
If you believe whit greedy heid is saying you have been
taking too many drugs! and your brain has:–
(A)   FRIED
(B)   FRAZZLED
(C)   MELTED
(D)   ALL!
Using any Drug isnae safe!
Cocktails confuse and can kill, when you take a drug it changes
your way of thinking and you start to believe you can take
more, or you forget what you have used. Mixing drugs and
booze might get you oot your face but is dangerous.
Usually the mair you take the worse ye feel. You'll end up
freakin out and hidin under yir bed, or deid.
Remember! Stay Low, Keep Cool, Don't Mix.

If you want to find oot mair phone **Know the Score**: 0800 587 587 9

Love Greedy Heid R.I.P.

Drug awareness campaign postcard

The Vampire

You, that's like a sudden blade
Dang deep intil ma greitin hert,
You, that's gallus as a gang
O fleein deils, mad yet alert,

That's mistressed ma dounhauden sowl
An made yer bed upon its banes,
Ill-deedit yin, tae you I'm thirlt
As convict is tae prison chains,

As gambler tae the puggie's airm,
As drunk man tae the bottle's spell,
As maukit meat tae rat an flee –
Oh damn ye, damn ye doun tae Hell!

I prayed the swippert twa-edged sword
Wud win me back ma liberty,
An tae foul pizen slipped the wurd
Tae save a coward wretch like me!

But na! the pizen an the sword
Luiked doun on me wi sneistie glower:
"Tae rescue ye fae slavery
We dinna think's worth fashin ower,

"Puir eejit! – For if fae her pouer
We freed ye it wud be in vain:
Yer kisses wud bring back tae life
Yer vampire luver's corp again."

Charles Baudelaire, 'Le Vampire', translated by James Robertson

dang: thrust greitin: weeping gallus: bold ill-deedit: wicked thirlt: bound
puggie: gambling-machine maukit: maggoty flee: fly swippert: keen, agile
pizen: poison sneistie: contemptuous

LOVE (I)

A Red, Red Rose

O my luve's like a red, red rose
  That's newly sprung in June.
O my luve's like the melodie
  That's sweetly play'd in tune.

As fair art thou, my bonnie lass,
  So deep in luve am I;
And I will luve thee still, my dear,
  Till a' the seas gang dry.

Till a' the seas gang dry, my dear,
  And the rocks melt wi' the sun;
And I will luve thee still, my dear,
  While the sands o' life shall run.

And fare thee weel, my only Luve,
  And fare thee weel a while!
And I will come again, my Luve,
  Tho' it were ten thousand mile!

Song by Robert Burns

A Summer's Day

yir eyes ur
eh
a mean yir

pirrit this wey
ah a thingk yir
byewtifl like ehm

fact
fact a thingk yir
ach a luvyi thahts

thahts
jist thi wey it iz like
thahts ehm
aw ther iz ti say
            Tom Leonard

Watty's Wooing

In this passage from John Galt's novel The Entail (1823), the grasping Claud Walkinshaw, the laird o' Grippy, is trying to set up his simpleminded son Watty to marry Betty, daughter of his wealthy neighbour Bodle of Kilmarkeckle. Watty, by a complicated legal process of which he has little comprehension, has already inherited his maternal grandfather's estate of the Plealands.

"Watty," said the laird o' Grippy to his hopeful heir, calling him into the room after Kilmarkeckle had retired, "Watty, come ben and sit down; I want to hae some solid converse wi' thee. Dist t'ou hearken to what I'm saying? Kilmarkeckle has just been wi' me – hear'st t'ou me? Deevil an' I saw the like o' thee – what's t'ou looking at? As I was saying, Kilmarkeckle has been here, and he was thinking that you and his dochter – "

"Weel," interrupted Watty, "if ever I saw the like o' that. There was a Jenny Langlegs bumming at the corner o' the window, when down came a spider wabster as big as a puddock, and claught it in his arms; and he's off and awa wi' her intil his nest; – I ne'er saw the like o't."

"It's most extraordinar, Watty Walkinshaw," exclaimed his father peevishly, "that I canna get a mouthful o' common-sense out o' thee, although I was just telling thee o' the greatest advantage that t'ou's ever likely to meet wi' in this world. How would ye like Miss Betty Bodle for a wife?"

"Oh, father!"

"I'm saying, wouldna she make a capital leddy o' the Plealands?"

Walter made no reply, but laughed, and chucklingly rubbed his hands, and then delightedly patted the sides of his thighs with them.

"I'm sure ye canna fin' ony fau't wi' her; there's no a brawer nor a better-tochered lass in the three shires. What thinkest t'ou?"

Walter suddenly suspended his ecstasy; and grasping his knees firmly, he bent forward, and looking his father seriously in the face, said –

"But will she no thump me? Ye mind how she made my back baith black and blue. I'm frightit."

"Haud thy tongue wi' sic nonsense; that happened when ye were but bairns. I'm sure there's no a blither, bonnier quean in a' the kintra-side."

"I'll no deny that she has red cheeks, and een like blobs o' honey-dew in a kail-blade; but father – Lord, father! she has a nieve like a beer-mell."

"But, for a' that, a sightly lad like you might put up wi' her, Watty. I'm sure ye'll gang far, baith east and west, before ye'll meet wi' her marrow, and ye should refleck on her tocher, the whilk is a wull-ease that's no to be found at ilka dyke-side."

"Ay, so they say; her uncle 'frauded his ain only dochter, and left her a stocking fu' o' guineas for a legacy. But will she let me go halver?"

"Ye needna misdoubt that; na, an ye fleech her weel, I wouldna be surprised if she would gie you the whole tot; and I'm sure ye ne'er hae seen ony woman that ye can like better."

"Ay, but I hae though," replied Watty confidently.

"Wha is't?" exclaimed his father, surprised and terrified.

"My mother."

The old man, sordid as he was and driving thus earnestly his greedy purpose, was forced to laugh at the solemn simplicity of this answer; but he added, resuming his perseverance, –

"True! I didna think o' thy mother, Watty. But an t'ou was ance marriet to Betty Bodle, t'ou would soon like her far better than thy mother."

"The fifth commandment says, 'Honour thy father and thy mother, that thy days may be long in the land'; and there's no ae word about liking a wife in a' the rest."

"Weel, weel, but what I hae to say is that me and Kilmarkeckle hae made a paction for thee to marry his dochter, and t'ou maun just gang ouer the night and court Miss Betty."

"But I dinna ken the way o't, father; I ne'er did sic a thing a' my days; odd, I'm unco blate to try't."

"Gude forgie me!" said Claud to himself, "but the creature grows sillier and sillier every day. I tell thee, Watty Walkinshaw, to pluck up the spirit o' manhood, and gang ouer this night to Kilmarkeckle and speak to Miss Betty by yoursel' about the wedding."

"Atweel, I can do that, and help her to buy her parapharnauls. We will hae a prime apple-pie that night, wi' raisins in't."

The old man was petrified. It seemed to him that it was utterly impossible the marriage could ever take place, and he sat for some time stricken, as it were with a palsy of the mind. But these intervals of feeling and emotion were not of long duration; his inflexible character, and the ardour with which his whole spirit was devoted to the attainment of one object, soon settled and silenced all doubt, contrition, and hesitation; and considering, so far as Walter was concerned, the business decided, he summoned his wife to communicate to her the news.

"Girzy Hypel," said he as she entered the room, holding by the neck a chicken, which she was assisting the maids in the kitchen to pluck for dinner, and the feathers of which were sticking thickly on the blue worsted apron which she had put on to protect her old red quilted silk petticoat – "Girzy Hypel, be nane surprised to hear of a purpose of marriage soon between Watty and Betty Bodle."

"No possible!" exclaimed the leddy, sitting down with vehemence in her astonishment, and flinging, at the same time, the chicken across her lap, with a certain degree of instinctive or habitual dexterity.

"What for is't no possible?" said the laird angrily through his teeth, apprehensive that she was going to raise some foolish objection.

"Na, gudeman, an' that's to be a come-to-pass – let nobody talk o' miracles to me. For although it's a thing just to the nines o' my wishes, I hae aye jaloused that Betty Bodle wouldna tak him, for she's o' a rampant nature, and he's a sober, weel-disposed lad. My word, Watty, t'ou has thy ain luck: first thy grandfather's property o' the Plealands, and syne – " She was going to add, "sic a bonny, braw-tochered lass as Betty Bodle"; but her observation struck jarringly on the most discordant string in her husband's bosom, and he interrupted her sharply, saying –

"Everything that's ordained will come to pass; and a' that I hae for the present to observe to you, Girzy, is to tak tent that the lad gangs over wiselike, at the gloaming, to Kilmarkeckle, in order to see Miss Betty anent the wedding."

"I'm sure," retorted the leddy, "I hae no need to green for weddings in my family; for, instead o' any pleasance to me, the deil-be-licket's my part and portion o' the pastime but girns and gowls. Gudeman, ye should learn to keep your temper, and be of a compound spirit, and talk wi' me in a sedate manner, when our bairns are changing their life. Watty, my lad, mind what your mother says – 'Marriage is a creel, where ye maun catch,' as the auld byword runs, 'an adder or an eel.' But, as I was rehearsing, I couldna hae thought that Betty Bodle would hae fa'en just at ance into your grip; for I had a notion that she was ouer soople in the tail to be easily catched. But it's the Lord's will, Watty; and I hope ye'll enjoy a' manner o' happiness wi' her, and be a comfort to ane anither, like your father and me – bringing up your bairns in the fear o' God, as we hae done you, setting them, in your walk and conversation, a pattern of sobriety and honesty, till they come to years of discretion, when, if it's ordained for them, nae doubt they'll look, as ye hae done, for a settlement in the world, and ye maun part wi' them, as we are obligated by course of nature to part with you."

At the conclusion of this pathetic address the old lady lifted her apron to wipe the gathered drops from her eyes, when Watty exclaimed –

"Eh, mother! ane o' the hen's feathers is playing at whirley wi' the breath o' your nostril!"

Thus ended the annunciation of the conjugal felicity of which Grippy was the architect.

John Galt, The Entail

better-tochered: with a better dowry   kail-blade: cabbage leaf   nieve: fist
beer-mell: brewer's mallet   marrow: equal   wull-ease: valise or travelling-bag
fleech: beseech, flatter   blate: shy   jaloused: suspected   tak tent: make sure
green: yearn   the deil-be-licket: nothing at all   girns ands gowls: moans and groans
soople: slippery

Jock o' Hazeldean

"Why weep ye by the tide, ladye?
　Why weep ye by the tide?
I'll wed ye to my youngest son,
　And ye sall be his bride;
And ye sall be his bride, ladye,
　Sae comely to be seen" –
But aye she loot the tears down fa'
　For Jock o' Hazeldean.

"Now let this wilfu' grief be done,
　And dry that cheek sae pale;
Young Frank is chief of Errington,
　And lord of Langley-dale;
His step is first in peacefu' ha',
　His sword in battle keen" –
But aye she loot the tears down fa'
　For Jock o' Hazeldean.

"A chain of gold ye sall not lack,
　Nor braid to bind your hair;
Nor mettled hound nor managed hawk,
　Nor palfrey fresh and fair;
And you, the foremost o' them a',
　Shall ride – our forest queen" –
But aye she loot the tears down fa'
　For Jock o' Hazeldean.

The kirk was deck'd at morning-tide,
　The tapers glimmer'd fair;
The priest and bridegroom wait the bride,
　And dame and knight are there.
They sought her baith by bower and ha';
　The ladye was not seen:
She's o'er the border, and awa'
　Wi' Jock o' Hazeldean.

Song by Sir Walter Scott

To Luve Unluvit

To luve unluvit is ane pane;
For scho that is my soverane,
  Sum wantoun man so hie hes set hir,
That I can get no lufe agane,
  Bot brekis my hairt, and nocht the bettir.

When that I went with that sweit may,
To dance, to sing, to sport and pley,
  And oft tymes in my armis plet hir;
I do now murne both nycht and day,
  And brekis my hart, and nocht the bettir.

Whair I wes wont to see hir go
Rycht trymly passand to and fro,
  With cumly smylis when that I met hir;
And now I leif in pane and wo,
  And brekis my hairt, and nocht the bettir.

Whattane ane glaikit fule am I
To slay myself with malancoly,
  Sen weill I ken I may nocht get hir!
Or what suld be the caus, and why,
  To brek my hairt, and nocht the bettir.

My hairt, sen thou may nocht hir pleiss,
Adew, as gude lufe cumis as gaiss,
  Go chuss ane udir and forget hir;
God gif him dolour and diseiss,
  That brekis thair hairt and nocht the bettir.

Finis q. Scott, When His Wyfe Left Him.

Alexander Scott

may: maid   plet: embraced   leif; live   sen: since

22

GLAIKIT

The Twa Cats and the Cheese

Twa *Cats* anes on a *Cheese* did light,
To which baith had an equal Right;
But Disputes, sic as aft arise,
Fell out a sharing of the Prize.
Fair Play, said ane, ye bite o'er thick,
Thae Teeth of yours gang wonder quick:
Let's part it, else lang or the Moon
Be chang'd, the *Kebuck* will be done.
But wha's to do't; – they're Parties baith,
And ane may do the other Skaith.
Sae with Consent away they trudge,
And laid the *Cheese* before a Judge:
A *Monkey* with a campsho Face,
Clerk to a Justice of the Peace,
A Judge he seem'd in Justice skill'd,
When he his Master's Chair had fill'd;
Now Umpire chosen for Division,
Baith sware to stand by his Decision.
Demure he looks. – The *Cheese* he pales, –

kebuck: cheese   skaith. harm, injustice   campsho: crooked
pales: tests by cutting into it

23

The Smoky Smirr o Rain

He prives it good, – Ca's for the Scales;
His Knife whops throw't, – in twa it fell;
He puts ilk haff in either Shell:
Said he, We'll truly weigh the Case,
And strictest Justice shall have Place;
Then lifting up the Scales, he fand
The tane bang up, the other stand:
Syne out he took the heaviest haff,
And ate a Knoost o't quickly aff,
And try'd it syne; – it now prov'd light:
Friend Cats, said he, we'll do ye right.
Then to the ither haff he fell,
And laid till't teughly Tooth and Nail,
Till weigh'd again it lightest prov'd.
The Judge, wha this sweet Process lov'd,
Still weigh'd the Case, and still ate on,
Till Clients baith were weary grown,
And tenting how the Matter went,
Cry'd, Come, come, Sir, we're baith content.
Ye Fools, quoth he, and *Justice* too
Maun be content as well as you.
Thus grumbled *they*, thus *he* went on,
Til baith the Haves were near hand done:
Poor *Pousies* now the Daffine saw
Of gawn for Nignyes to the Law;
And bill'd the Judge, that he wad please
To give them the remaining Cheese:
To which his Worship grave reply'd,
The Dues of Court maun first be paid.
Now Justice pleas'd: – What's to the fore
Will but right scrimply clear your Score;
That's our Decreet; – gae hame and sleep,
And thank us ye're win aff sae cheap.

Allan Ramsay

prives: tastes, approves   bang up: rise up suddenly   knoost: lump
tenting: seeing   haves: halfs   daffine: folly   nignyes: trifles   scrimply: scarcely

Born Every Minute

The lassie at the check-oot hud been slouched ower. Noo she sat up, curled her mooth in the "smile at the customer, look pleased to see them, make them feel they matter" grin.

"Good morning," she sang oot cheerily. It was like dealin wi a wind-up doll. Archie hud three packs ae toilet rolls. Luxury double-quilted six-packs. Pink. He waved the first yin unner the lassie's nose.

"That's yin," he said. "An I'm no buyin it." He put it oan the reject goods coonter an sat the next pack oan the conveyor belt. "That's twa, an I'm buyin it." The third pack he took right by her doon tae the packin end ae the check-oot. "An this is three, an it's free." He started stuffin the pack intae a carrier bag.

"Eh, that's no right." The lassie's een hud went a funny shape an her eebroos wur drawn thegither.

"Hoo d'you mean?"

Her face reassembled itsell, coverin the expression which said "this fella's a nutter," and turnin intae "I'm gaunae huv tae be patient here." Cool blue een stared up at him. The colour ae a summer sea. Een like that could make a man feel like the looker he yaised tae be in his young days.

"Well, ye have tae buy two ae thum," she said. "Then ye get the free one."

Archie puckert his mooth an stroked his chin. He wondert if he shoulda shaved. Mibbe no.

"Naw, naw. Ye've got the wrang end ae the stick, hen. It's the third wan ye get free. Ae we agreed?"

"Aye."

He wondert if she kent how bonny she was, lookin sae serious. Blue as a clear sky. She coulda been a film star. Or a model.

"So ye've a first." He lifted the pack fae the reject shelf ontae the conveyor belt. "A second." He patted the yin awready there. "An a third." He sat the yin awready in its carrier bag aside the ither twa. "Richt?"

"There y'are then." He patted thum in turn. "Yin, twa, three." He lifted the first. "I'm no waantin yin." He put it back oan the reject shelf. "I'm buyin twa." An he wheeched the carrier back tae the end. "Ipso jure, I get the third yin free. There's the money." He put the wee pile ae coins, coonted exact, oan the plastic ledge in front ae her an watched they een rise slowly tae meet his again. She was makin nae sense ae him. He smiled tae let her ken he was feenished. Nodded tae encourage her tae scan the toilet-roll pack in front ae her an ring up the sale.

"Thur's somethin no right here," she said.

Archie sighed an clamped his gums thegither. The lassie dived intae the space.

"I have tae scan them oan the machine. It coonts thum. When it's coonted two, it disnae charge the third yin. I have tae pit thum aw through so it kin cancel oot the last yin." She reached fur the pack oan the reject shelf. Archie clamped his haun oan the tap ae it.

"Naw, naw, naw." He was bein really patient noo. "That's no whit the notice says. Buy one *and* two. It says 'buy two'. That's two." He pointed tae the wan oan the conveyor belt. "Ye only need tae scan it. That yin's free." He pointed tae the yin in the carrier. "Thur's nae need tae scan a free yin. Noo is thur?"

"Ye huv tae buy two packs! No number two. No the second wan. Two packs!"

"Dae I look like I've got diarrhoea?"

"Whit?"

Ahint Archie, a wummin sat the next customer bar oan the conveyor an startit unloadin a mountainous trolley-load ae shoppin.

"I dinnae need three packs. Dinnae even need twa," Archie said, slow an calm. "I'm only takin that yin cause it's free. Stupit no tae. Money disnae grow oan trees, ye ken. An I'd look a right numpty humphin three ae them up the brae. Noo, ye gaunae ring up ma message? This wife'll be waantin hame afore the morra comes."

The lassie pressed her buzzer. The licht abin her heid startit flashin.

The manager, surprisinly, was a fella. A lang drink ae watter wi wee glesses oan. Archie went through the routine. The manager took the wee glesses aff an stared at the pink six-pack ae toilet rolls sittin waitin tae be chairged.

"I dinnae even like pink," Archie feenished up. "Blue. Noo there's a colour." The wummin ahint hud hauf her messages oan the conveyor.

"Fur goodness sake," she snorted. "I cam tae this yin cause he only hud wan thing." Archie stood tall an straight. Prood. Waitin fur justice. It was a sair fecht but somedy hud tae dae it. The manager put the wee glesses back oan.

"Put it through," he said. The check-oot lassie frowned. Even crunkled, her face was a bonny thing. The manager nodded. The toilet rolls wur scanned through, Archie's coins coonted an the receipt haundit tae him. The lassie hud a shiny silver ring oan just aboot every fingur.

Archie lifted his twa carriers an leaned ower tae the lassie.

"Ye're wastit here, hen." As he walked awa, the manager turnt tae the waitin wummin.

"Sorry about that," he said. "Care in the community, probably. We get them."

Archie was in twa minds. He'd a mind tae get awa hame fur a cup ae tea. An anither mind tae gang back an ram a wee pair ae glesses doon a long skinny thrapple. Blue filled his heid. Summer blue. Just cause ye wur auld an broken didnae mean you couldnae appreciate somethin fine. Damn fine. The tea won. Veni, vidi, vici, he decided. It hud been a long morning. A sair fecht. But somedy ay won.

Janet Paisley, Not for Glory

The Fenyeit Freir of Tungland

As yung Awrora, with cristall haile,
In orient schew hir visage paile,
A swevyng swyth did me assaile
  Off sonis of Sathanis seid;
Me thocht a Turk of Tartary
Come throw the boundis of Barbary,
And lay forloppin in Lumbardy
  Full lang in waithman weid.

Fra baptasing for to eschew,
Thair a religious man he slew,
And cled him in his abeit new,
  For he cowth wryte and reid.
Quhen kend was his dissimulance
And all his cursit govirnance,
For feir he fled and come in France
  With littill of Lumbard leid.

To be a leiche he fenyt him thair,
Quhilk mony a man micht rew evirmair,
For he left nowthir seik nor sair
  Unslane, or he hyne yeid.
Vane organis he full clenely carvit,
Quhen of his straik so mony starvit,
Dreid he had gottin that he desarvit,
 He fled away gud speid.

fenyeit: false Awrora: goddess of the dawn cristall haile: shining dewdrops
swevyng: vision swyth: swiftly sonis of Sathanis seid: sons of Satan's progeny
forloppin: fugitive waithman weid: outlaw's clothing abeit: habit cowth: could
govirnance: conduct Lumbard leid: language of Lombardy, i.e. Italian
leiche: doctor fenyt: pretended or he hyne yeid: before he went from there vane
organis: jugular veins dreid he had gottin: fearful he would get

GLAIKIT

In Scotland than the narrest way
He come, his cunnyng till assay.
To sum man thair it was no play
  The preving of his sciens.
In pottingry he wrocht grit pyne,
He murdreist mony in medecyne;
The Jow was of a grit engyne,
  And generit was of gyans.

In leichecraft he was homecyd;
He wald haif, for a nicht to byd,
A haiknay and the hurt manis hyd,
  So meikle he was of myance.
His irnis was rude as ony rawchtir,
Quhair he leit blude it was no lawchtir;
Full mony instrument for slawchtir
  Was in his gardevyance.

He cowth gif cure for laxatyve,
To gar a wicht hors want his lyve,
Quha evir assay wald, man or wyve,
  Thair hippis yeid hiddy giddy.
His practikis nevir war put to preif
But suddane deid, or grit mischeif;
He had purgatioun to mak a theif
  To dee withowt the widdy.

---

pottingry: pharmacy Jow: Jew, or more generally "unbeliever"
engyne: ingenuity, cunning generit was of gyans: was descended from the giants
homecyd: murderous haiknay: horse hyd: skin myance: means, resource
irnis: surgical instruments gardevyance: luggage laxatyve: diarrhoea
wicht hors: strong horse yeid hiddy-giddy: went helter-skelter
but suddane deid: without instant death purgatioun: purgative medicine
widdy: gallows

The Smoky Smirr o Rain

Unto no mes pressit this prelat,
For sound of sacring bell nor skellat;
As blaksmyth bruikit was his pallatt,
  For battering at the study.
Thocht he come hame a new maid channoun,
He had dispensit with matynnis cannoun,
On him come nowther stole nor fannoun
  For smowking of the smydy.

Me thocht seir fassonis he assailyeit,
To mak the quintessance, and failyeit;
And quhen he saw that nocht availyeit,
  A fedrem on he tuke,
And schupe in Turky for to fle;
And quhen that he did mont on hie,
All fowill ferleit quhat he sowld be,
  That evir did on him luke.

Sum held he had bene Dedalus,
Sum the Menatair marvelus,
Sum Martis blaksmyth Vulcanus,
  And sum Saturnus kuke.
And evir the cuschettis at him tuggit,
The rukis him rent, the ravynis him druggit,
The hudit crawis his hair furth ruggit,
  The hevin he micht not bruke.

mes: Mass   sacring bell: bell rung at the consecration of the eucharist
skellat: handbell bruikit: blackened   battering at the study: i.e. working at alchemy
channoun: canon   matynnis canoun: the service of matins stole: narrow strip of
cloth worn over priest's shoulders   fannoun: band attached to priest's wrist at Mass
seir fassonis: various methods quintessance: the supposed "fifth essence" in alchemy
fedrem: feather-coat schupe: tried fowill: birds ferleit: wondered
Menatair: Minotaur Martis: Mars' cuschettis: wood-pigeons druggit: dragged
bruke: enjoy

GLAIKIT

The myttane and Sanct Martynis fowle
Wend he had bene the hornit howle,
Thay set aupone him with a yowle,
And gaif him dynt for dynt.
The golk, the gormaw, and the gled
Beft him with buffettis quhill he bled;
The sparhalk to the spring him sped,
  Als fers as fyre of flynt.

The tarsall gaif him tug for tug,
A stanchell hang in ilka lug,
The pyot furth his pennis did rug,
The stork straik ay but stynt.
The bissart, bissy but rebuik,
Scho was so cleverus of hir cluik,
His bawis he micht not langer bruik,
  Scho held thame at ane hint.

Thik was the clud of kayis and crawis,
Of marleyonis, mittanis, and of mawis,
That bikkrit at his berd with blawis
  In battell him abowt.
Thay nybbillit him with noyis and cry,
The rerd of thame rais to the sky,
And evir he cryit on Fortoun, "Fy!"
  His lyfe was in to dowt.

myttane: lesser bird of prey Sanct Martynis fowle: diving-bird, possibly gannet
wend: thought howle: owl golk: cuckoo gormaw: cormorant gled: kite
beft: beat sparhalk: sparrowhawk tarsall: tercel, male hawk stanchell: kestrel
pyot: magpie pennis: feathers but stynt: without ceasing bissart: buzzard
but rebuik: without being rebuked cleverus: grasping bruik: enjoy the use of
hint: clutch kayis: jackdaws marleyonis: merlins mawis: gulls bikkrit: attacked
rerd: din

The Smoky Smirr o Rain

The ja him skrippit with a skryke,
And skornit him as it was lyk;
The egill strong at him did stryke,
  And rawcht him mony a rowt.
For feir uncunnandly he cawkit,
Quhill all his pennis war drownd and drawkit.
He maid a hundreth nolt all hawkit
  Beneth him with a spowt.

He schewre his feddreme that was schene,
And slippit owt of it full clene,
And in a myre, up to the ene
  Amang the glar did glyd.
The fowlis all at the fedrem dang,
As at a monster thame amang,
Quhill all the pennis of it owtsprang
  In till the air full wyde.

And he lay at the plunge evirmair,
Sa lang as any ravin did rair;
The crawis him socht with cryis of cair
  In every schaw besyde.
Had he reveild bene to the ruikis,
Thay had him revin all with thair cluikis:
Thre dayis in dub amang the dukis
  He did with dirt him hyde.

ja: jay skrippit: mocked skryke: shriek rowt: blow cawkit: defecated
drawkit: soaked nolt: cattle hawkit: bestreaked spowt: spurt schewre: cut
schene: beautiful ene: eyes glar: mud at the plunge: immersed schaw: wood
dub: puddles dukis: ducks

GLAIKIT

The air was dirkit with the fowlis,
That come with yawmeris and with yowlis,
With skryking, skrymming, and with scowlis,
  To tak him in the tyde.
I walknit with the noyis and schowte,
So hiddowis beir was me abowte;
Sensyne I curs that cankerit rowte,
  Quhair evir I go or ryde.

William Dunbar

skrymming: darting   walknit: woke up   beir: tumult
cankerit rowte: malicious crowd

Wiseness

Hae ye stüde on the hill in a sünbricht hour
And watch'd the wild-rose blaw?
Hae ye taen the joy o' earth wi' the fleur
And kent that life wis braw?

Hae ye gether'd stillness frae a stane
And frae the face o' a friend?
Hae ye heard a hert that wasna your ain
And kent that life was kind?

Ye hae a' the wiseness the earth can gie
And a' that a man can win
Though he raik the world frae sea to sea
And his days be never düne.

William Soutar

blaw: blossom   raik: range

GOD

The Image o' God

Crawlin' aboot like a snail in the mud,
  Covered wi' clammy blae,
Me, made after the image o' God –
  Jings! but it's laughable, tae.

Howkin' awa 'neath a mountain o' stane,
  Gaspin' for want o' air,
The sweat makin' streams doon my bare back-bane
  And my knees a' hauckit and sair.

Strainin' and cursin' the hale shift through,
  Half-starved, half-blin', half-mad;
And the gaffer he says, "Less dirt in that coal
  Or ye go up the pit, my lad!"

So I gi'e my life to the Nimmo squad
  For eicht and fower a day;
Me! made after the image o' God –
  Jings! but it's laughable, tae.

Joe Corrie

The Innumerable Christ

Other stars may have their Bethlehem, and their Calvary too.
– Professor J. Y. Simpson

Wha kens on whatna Bethlehem
Earth twinkles like a star the nicht,
An' whatna shepherds lift their heids
    In its unearthly licht?

'Yont a' the stars oor een can see
An' farther than their lichts can fly,
I' mony an unco warl' the nicht
    The fatefu' bairnies cry.

I' mony an unco warl' the nicht
The lift gaes black as pitch at noon,
An' sideways on their chests the heids
    O' endless Christs roll doon.

An' when the earth's as cauld's the mune
An' a' its folk are lang syne deid,
On coontless stars the Babe maun cry
    An' the Crucified maun bleed.

                Hugh MacDiarmid

Gode's Grandeur

The haill warld's fired wi the grandeur o Gode.
It'll glisk oot, glents fae shoogled foil.
It gaithers aa its virr up like the sype o piston ile
Dooshed. Whit wey dae folks tak nae tent o his rod?
Generations hae scliffed an scliffed an sclatched;
An aathing's straiked wi darg, slairg, clairt wi graft;
An weirs man's smoor an haes man's waff:
The gress is scabbit noo, nor can fit feel, weel shod.

But for aa that, nature's nae forfocht.
Deep doon there leeves a sweetness, caller green.
An tho the last lichts aff the mirk West walkt
Och, daydaw doon the broon brae eastward rins –
Because the Halie Speerit ower the boo'd warld clocks
Wi het breist an wi, wow, bricht wings.

Gerard Manley Hopkins, 'God's Grandeur',
translated by James McGonigal

virr: strength   sype: seep, ooze   dooshed: compressed, crushed   tak nae tent: pay no
heed   scliffed an sclatched: shuffled and trod with a heavy foot   darg: labour
slairg: smeared   clairt: dirty   smoor: smudge   waff: smell   scabbit: bare, infertile
forfocht: spent   leeves: lives   caller: fresh   daydaw: dawn   boo'd: curved, bent
clocks: sits like a broody hen

The Letter Alif

I' the nem ae Goad the Mercifu, the Misericorde,

Haw! Eh, quaich-cairrier, see's ower yon tassie ae luve an hert-likin,
For the fraucht ae luve fur Goad at the keek o the day ae covenant
seemed at first a skoosh, but trauchles hae sinsyne kythed.

By rizzon ae the howpfu guff ae the musk-huil, that at the ootgang ae
mirk, the souch shawed fae yon kenched tap,
Fae the skew ae its fragrant pirl, whit sair bluid skailed ontil the herts
ae the lemans ae Goad!

Wi pegs ae whusky, pit up a guid word upon yon tautie flair – if the
Gash Yin ae the lowerin seek ye;
Fur ae the wey an yiss ae the staps tae Goad no wioot ken is the halie
traiveller, the perfit seeker.

I' the stap ae this warld ae the true Lief, – my, whit speel an pleasure,
when, in a crack ae the noo,
The fell jow ae the caw ae hame-gaun gies vice, chantin:– "Binn ye
up the lade ae the wund ae braith."

The daurk nicht ae the warld, an the scunner at the swaw ae dool, an
the swirl sae flegsome ae the rauchle linn ae daith.
The licht-trauchled yins ae the strand, the forefolk that hae traivelled
ben the gurl ae daith, – hoo dae they ken whit wey we truly are?

quaich-cairrier: cup-bearer tassie: cup fraucht: burden trauchles: difficulties
kythed: appeared, arisen howpfu: hopeful guff: perfume musk-huil: musk-pod
ootgang ae mirk: end of night souch: breeze kenched tap: knotted forelock
pirl: curl skailed: spilled lemans: lovers tautie: matted stap: stage Lief: Beloved
jow: peal (of bell) hame-gaun: death binn: bind swaw: wave dool: grief
swirl: whirlpool flegsome: fearful rauchle linn: fierce waterfall
ben the gurl: through the rough sea

GOD

By follaein ma ain fantise, near cowpin in haste tae jine wi Goad, I
alane tae the backsnash ae fame aw ma wark brocht:
Dern an secret, – hoo bides yon muckle mystery ae luve anent which
graund assemblies haiver?

Haw, Hafiz! Gin ye grein for the presence, the comin-thegither wi
Goad Maist Hie – tae Him be na deif:
When ye first-fit yer jo, gie up the warld; an let it gang.

From the Diwan of Hafiz Shiraz, translated by Suhayl Saadi
from the English version of Harry Wilberforce Clarke,
translated from the original Farsi

fantise: fancy   cowpin: falling over   backsnash: backbiting   dern: hidden
anent: concerning   grein: yearn

The Holy Fair

"A robe of seeming truth and trust
  Hid crafty Observation;
And secret hung, with poison'd crust,
  The dirk of Defamation:
A mask that like the gorget show'd,
  Dye-varying on the pigeon;
And for a mantle large and broad
  He wrapt him in Religion."
                    HYPOCRISY A LA MODE

Upon a simmer Sunday morn,
  When Nature's face is fair,
I walkèd forth to view the corn,
  An' snuff the caller air.
The rising sun, owre Galston muirs,
  Wi' glorious light was glintin;
The hares were hirplin down the furrs,
  The lav'rocks they were chantin
          Fu' sweet that day.

As lightsomely I glowr'd abroad,
  To see a scene sae gay,
Three hizzies, early at the road,
  Cam skelpin up the way;
Twa had manteeles o' dolefu' black,
  But ane wi' lyart lining;
The third, that gaed a wee a-back,
  Was in the fashion shining
          Fu' gay that day.

caller: fresh   hirplin: hopping   furrs: furrows   lav'rocks : larks   glowr'd: gazed
hizzies: young women   lyart: grey   gaed a wee a-back: walked a bit behind

40

GOD

The twa appear'd like sisters twin,
  In feature, form, an' claes;
Their visage wither'd, lang an' thin,
  An' sour as ony slaes:
The third cam up, hap-step-an'-lowp,
  As light as ony lambie,
An' wi' a curchie low did stoop,
  As soon as e'er she saw me,
         Fu' kind that day.

Wi' bonnet aff, quoth I, "Sweet lass,
  I think ye seem to ken me;
I'm sure I've seen that bonnie face,
  But yet I canna name ye."
Quo' she, an' laughin as she spak,
  An' taks me by the han's,
"Ye, for my sake, hae gien the feck
  Of a' the ten comman's
         A screed some day.

"My name is Fun – your cronie dear,
  The nearest friend ye hae;
An' this is Superstition here,
  An' that's Hypocrisy.
I'm gaun to Mauchline Holy Fair,
  To spend an hour in daffin:
Gin ye'll go there, yon runkl'd pair,
  We will get famous laughin
         At them this day."

curchie: curtsey feck: majority screed: rip daffin: foolery runkl'd: wrinkled

The Smoky Smirr o Rain

Quoth I, "With a' my heart, I'll do't:
  I'll get my Sunday's sark on,
An' meet you on the holy spot;
  Faith, we'se hae fine remarkin!"
Then I gaed hame at crowdie-time,
  An' soon I made me ready;
For roads were clad, frae side to side,
  Wi' mony a wearie body
          In droves that day.

Here, farmers gash, in ridin graith,
  Gaed hoddin by their cotters;
There, swankies young, in braw braid-claith
  Are springin owre the gutters;
The lasses, skelpin barefit, thrang,
  In silks an' scarlets glitter,
Wi' sweet-milk cheese in mony a whang,
  An' farls, bak'd wi' butter,
          Fu' crump that day.

When by the plate we set our nose,
  Weel heapèd up wi' ha'pence,
A greedy glowr Black Bonnet throws,
  An' we maun draw our tippence.
Then in we go to see the show:
  On ev'ry side they're gath'rin,
Some carryin dails, some chairs an' stools,
  An' some are busy bleth'rin

sark: shirt crowdie-time: porridge-time gash: bold graith: gear hoddin: jogging
thrang: crowded whang: large chunk or slice farls: small cakes crump: crisp
Black-Bonnet: the Elder dails: deals, planks

42

GOD

Right loud that day.
Here, stands a shed to fend the show'rs,
  An' screen our countra gentry;
There, Racer Jess, and twa-three whores,
  Are blinkin at the entry.
Here sits a raw o' tittlin jads,
  Wi' heaving breast an' bare neck;
An' there a batch o' wabster lads,
  Blackguardin' frae Kilmarnock
        For fun this day.

Here, some are thinkin on their sins,
  An' some upo' their claes;
Ane curses feet that fyl'd his shins,
  Anither sighs an' prays:
On this hand sits a chosen swatch,
  Wi' screw'd-up, grace-proud faces;
On that a set o' chaps at watch,
  Thrang winkin on the lasses
        To chairs that day.

O happy is that man an' blest!
  Nae wonder that it pride him!
Whase ain dear lass, that he likes best,
  Comes clinkin down beside him!
Wi' arm repos'd on the chair-back,
  He sweetly does compose him;
Which, by degrees, slips round her neck,
  An's loof upon her bosom,
        Unken'd that day.

fend: keep off blinkin: leering tittlin jads: whispering sluts wabster: weaver
fyl'd: soiled swatch: sample thrang: busy an's loof: and his palm

The Smoky Smirr o Rain

Now a' the congregation o'er
  Is silent expectation;
For Moodie speels the holy door,
  Wi' tidings o' damnation.
Should Hornie, as in ancient days,
  'Mang sons o' God present him,
The vera sight o' Moodie's face
  To's ain het hame had sent him
         Wi' fright that day.

Hear how he clears the points o' faith
  Wi' rattlin an' thumpin!
Now meekly calm, now wild in wrath
  He's stampin an' he's jumpin!
His lengthen'd chin, his turn'd-up snout,
  His eldritch squeel an' gestures,
Oh, how they fire the heart devout
  Like cantharidian plaisters,
         On sic a day!

But hark! the tent has chang'd its voice:
  There's peace an' rest nae langer;
For a' the real judges rise,
  They canna sit for anger.
Smith opens out his cauld harangues,
  On practice and on morals;
An' aff the godly pour in thrangs,
  To gie the jars an' barrels
         A lift that day.

speels: climbs Hornie: the Devil het: hot eldritch: unearthly
cantharidian plaisters: blistering plasters

GOD

What signifies his barren shine,
  Of moral pow'rs and reason?
His English style, an' gesture fine,
  Are a' clean out o' season.
Like Socrates or Antonine,
  Or some auld pagan heathen,
The moral man he does define,
  But ne'er a word o' faith in
          That's right that day.

In guid time comes an antidote
  Against sic poison'd nostrum;
For Peebles, frae the water-fit,
  Ascends the holy rostrum:
See, up he's got the word o' God,
  An' meek an' mim has view'd it,
While Common Sense has ta'en the road,
  An's aff, an' up the Cowgate
          Fast, fast that day.

Wee Miller niest the guard relieves,
  An' Orthodoxy raibles,
Tho' in his heart he weel believes
  An' thinks it auld wives' fables:
But faith! the birkie wants a manse,
  So cannilie he hums them;
Altho' his carnal wit an' sense
  Like hafflins-wise o'ercomes him
          At times that day.

water-fit: rivermouth   mim: prim   niest: next   raibles: recites by rote
birkie: fellow   like hafflins-wise: nearly half

The Smoky Smirr o Rain

Now butt an' ben the change-house fills
  Wi' yill-caup commentators:
Here's crying out for bakes an gills,
  An' there the pint-stowp clatters;
While thick an' thrang, an' loud an' lang,
  Wi' logic an' wi' Scripture,
They raise a din, that in the end
  Is like to breed a rupture
        O' wrath that day.

Leeze me on drink! it gies us mair
  Than either school or college;
It kindles wit, it waukens lear,
  It pangs us fou o' knowledge.
Be't whisky-gill or penny-wheep,
  Or ony stronger potion,
It never fails, on drinkin deep,
  To kittle up our notion
        By night or day.

The lads an' lasses, blythely bent
  To mind baith saul an' body,
Sit round the table, weel content,
  An' steer about the toddy.
On this ane's dress an' that ane's leuk
  They're makin observations;
While some are cozie i' the neuk,
  An' forming assignations
        To meet some day.

butt an' ben: outside and in   yill-caup: ale-cup bakes: biscuits
leeze me on drink!: how dear is drink! lear: learning pangs: stuffs
penny-wheep: small beer kittle: tickle steer: stir

GOD

But now the Lord's ain trumpet touts,
  Till a' the hills are rairin,
An' echoes back return the shouts –
  Black Russell is na spairin.
His piercin words, like Highlan' swords,
  Divide the joints an' marrow;
His talk o' Hell, whare devils dwell,
  Our vera "sauls does harrow"
         Wi fright that day.

A vast, unbottom'd, boundless pit,
  Fill'd fu' o' lowin brunstane,
Whase ragin flame, an' scorchin heat
  Wad melt the hardest whun-stane!
The half-asleep start up wi' fear,
  An' think they hear it roarin,
When presently it does appear
  'Twas but some neebor snorin
         Asleep that day.

'Twad be owre lang a tale to tell,
  How mony stories past,
An' how they crouded to the yill,
  When they were a' dismist;
How drink gaed round, in cogs an' caups,
  Amang the furms an' benches;
An' cheese and bread frae women's laps
  Was dealt about in lunches
         An' dawds that day.

lowin brunstane: blazing brimstone   dawds: chunks

The Smoky Smirr o Rain

In comes a gawsie, gash guidwife
  An' sits down by the fire,
Syne draws her kebbuck an' her knife;
  The lasses they are shyer.
The auld guidmen, about the grace
  Frae side to side they bother,
Till some ane by his bonnet lays,
  And gi'es them't like a tether
        Fu' lang that day.

Waesucks! for him that gets nae lass,
  Or lasses that hae naething!
Sma' need has he to say a grace,
  Or melvie his braw claithing!
O wives, be mindfu' ance yoursel
  How bonnie lads ye wanted,
An' dinna, for a kebbuck-heel,
  Let lasses be affronted
        On sic a day!

Now Clinkumbell, wi' rattlin tow,
  Begins to jow an' croon;
Some swagger hame the best they dow,
  Some wait the afternoon.
At slaps the billies halt a blink,
  Till lasses strip their shoon:
Wi' faith an' hope, an' love an' drink,
  They're a' in famous tune
        For crack that day.

kebbuck: cheese   waesucks: alas   melvie: meal-dust   tow: rope
jow and croon: swing and toll   dow: can   slaps: openings   billies: fellows
shoon: shoes   crack: chat

GOD

How mony hearts this day converts
  O' sinners and o' lasses!
Their hearts o' stane, gin night, are gane
  As saft as ony flesh is.
There's some are fou o' love divine,
  There's some are fou o' brandy;
An' mony jobs that day begin,
  May end in houghmagandie
        Some ither day.
                 Robert Burns

gin night: by nightfall houghmagandie: sexual intercourse

On the Resurrection of Christ

Done is a battell on the dragon blak,
Our campioun Chryst confountet hes his force;
The yettis of hell ar brokin with a crak,
The signe triumphall rasit is of the croce.
The divillis trymmillis with hiddous voce,
The saulis ar borrowit and to the blis can go,
Chryst with his blud our ransonis dois indoce:
Surrexit Dominus de sepulchro.

Dungin is the deidly dragon Lucifer,
The crewall serpent with the mortall stang,
The auld kene tegir with his teith on char,
Quhilk in a wait hes lyne for us so lang,
Thinking to grip us in his clowis strang.
The mercifull Lord wald nocht that it wer so.
He maid him for to felye of that fang:
Surrexit Dominus de sepulchro.

He for our saik that sufferit to be slane,
And lyk a lamb in sacrifice wes dicht,
Is lyk a lyone rissin up agane
And as a gyane raxit him on hicht.
Sprungin is Aurora radius and bricht,
On loft is gone the glorius Appollo,
The blisfull day departit fro the nycht:
Surrexit Dominus de sepulchro.

yettis: gates   trymmillis: tremble   borrowit: redeemed   dungin: struck down
on char: ajar   felye: fail   fang: prey   dicht: prepared   gyane: giant   raxit: reached
sprungin: risen   Aurora: the dawn   radius: radiant   Appollo: the sun

GOD

The grit victour agane is rissin in hicht,
That for our querrell to the deth wes woundit.
The sone that wox all paill now schynis bricht,
And, dirknes clerit, our fayth is now refoundit;
The knell of mercy fra the hevin is soundit,
The Cristin ar deliverit of thair wo,
The Jowis and thair errour ar confoundit:
Surrexit Dominus de sepulchro.

The fo is chasit, the battell is done ceis,
The presone brokin, the jevellouris fleit and flemit;
The weir is gon, confermit is the peis,
The fetteris lowsit and the dungeon temit,
The ransoum maid, the presoneris redemit;
The field is win, ourcumin is the fo,
Dispulit of the tresur that he yemit:
Surrexit Dominus de sepulchro.

William Dunbar

querrell: cause   wox: grew   Jowis: unbelievers   jevellouris: jailers
fleit and flemit: terrified and put to flight   weir: war   lowsit: loosed
temit: emptied   dispulit: deprived   yemit: guarded

Feed Ma Lamz

Amyir gaffirz Gaffir. Hark.

    nay fornirz ur communists
    nay langwij
    nay lip
    nay laffn ina sunday
    nay g.b.h. (septina wawr)
    nay nooky huntin
    nay tea-leaven
    nay chanty rasslin
    nay nooky huntn nix doar
    nur kuvitn their ox

Oaky doaky. Stick way it
rahl burn thi lohta yiz.

                    Tom Leonard

UNCO

The Lum Hat Wantin' the Croon

The burn was big wi' spate,
  An' there cam tum'lin' doon
Tapsalteerie the half o' a gate,
Wi' an auld fish-hake an' a great muckle skate,
  An' a lum hat wantin' the croon.

The auld wife stude on the bank
  As they gaed swirlin' roun',
She took a gude look an' syne says she:
  "There's food an' there's firin' gaun to the sea,
  An' a lum hat wantin' the croon."

Sae she gruppit the branch o' a saugh,
  An' she kickit aff ane o' her shoon,
An' she stuck oot her fit – but it caught in the gate,
An' awa she went wi' the great muckle skate,
  An' the lum hat wantin' the croon.

tapsalteerie: topsy-turvy fish-hake: a triangular wooden frame for drying fish
skate: i.e. the fish lum hat: a tall top hat saugh: willow-tree

The Smoky Smirr o Rain

She floatit fu' mony a mile,
  Past cottage an' village an' toon,
She'd an awfu' time astride o' the gate,
Though it seemed to gree fine wi' the great muckle skate,
  An' the lum hat wantin' the croon.

A fisher was walkin' the deck,
  By the licht o' his pipe an' the mune,
When he sees an auld body astride o' a gate,
Come bobbin' alang in the waves wi' a skate,
  An' a lum hat wantin' the croon.

"There's a man overboord!" cries he,
  "Ye leear!" says she. "I'll droon!
A man on a boord? It's a wife on a gate,
It's auld Mistress Mackintosh here wi' a skate,
  An' a lum hat wantin' the croon."

Was she nippit to death at the Pole?
  Has India bakit her broon?
I canna tell that, but whatever her fate,
I'll wager ye'll find it was shared by a skate,
  An' a lum hat wantin' the croon.

There's a moral attached to my sang,
  On greed ye should aye gie a froon,
When ye think o' the wife that was lost for a gate,
An' auld fish-hake an' a great mucke skate,
  An' a lum hat wantin' the croon.

                                        David Rorie

Allison Gross

O Allison Gross, that lives in yon tow'r,
  The ugliest witch i' the north country,
Has trysted me ae day up till her bow'r
  And mony fair speech she made to me.

She stroaked my head, and she kemb'd my hair,
  And she set me down saftly on her knee;
Says, "Gin ye will be my lemman so true,
  Sae mony braw things as I would you gie."

She show'd me a mantle o' red scarlet,
  Wi' gouden flow'rs and fringes fine;
Says, "Gin ye will be my lemman sae true,
  This gudely gift it sal be thine."

"Awa, awa, ye ugly witch,
  Haud far awa, and lat me be;
I never will be your lemman sae true,
  And I wish I were out o' your company."

She neist brought a sark o' the saftest silk,
  Well wroght wi' pearles about the ban';
Says, "Gin you will be my ain true love,
  This goodly gift you sal comman'."

She show'd me a cup of the good red gold,
  Well set wi' jewels sae fair to see;
Says, "Gin you will be my lemman sae true,

kemb'd: combed gin: if lemman: lover gouden: golden neist: next sark: shirt
ban': collar

This goodly gift I will you gie."
"Awa, awa, ye ugly witch,
  Haud far awa, and lat me be;
For I wouldna ance kiss your ugly mouth
  For a' the gifts that ye could gie."

She's turn'd her right and roun' about,
  And thrice she blew on a grass-green horn,
And she sware by the meen and the stars abeen,
  That she'd gar me rue the day I was born.

Then out has she taen a silver wand,
  And she's turn'd her three times roun' and roun';
She's mutter'd sich words till my strength it fail'd,
  And I fell down senseless upon the groun'.

She's turn'd me into an ugly worm,
  And gar'd me toddle about the tree;
And aye, on ilka Saturday's night,
  My sister Maisry came to me,

Wi' silver bason and silver kemb,
  To kemb my heady upon her knee;
But or I had kiss'd her ugly mouth,
  I'd rather a toddled about the tree.

But as it fell out on last Hallow-even,
  When the seely court was ridin' by,
The queen lighted down on a gowany bank,
  Nae far frae the tree where I wont to lye.

ance: once meen: moon abeen: above gar: make worm: reptile, serpent ilka:
every seely: fairy gowany: daisy-covered

UNCO

She took me up in her milk-white han',
  And she's stroak'd me three times o'er her knee;
She chang'd me again to my ain proper shape,
  And I nae mair maun toddle about the tree.

                                  Anonymous Ballad

The Pechs

Long ago there were people in this country called the Pechs; short wee men they were, wi' red hair, and long arms, and feet sae braid that when it rained they could turn them up owre their heads, and then they served for umbrellas. The Pechs were great builders; they built a' the auld castles in the kintry; and do ye ken the way they built them? – I'll tell ye. They stood all in a row from the quarry to the place where they were building, and ilk ane handed forward the stanes to his neebor, till the hale was biggit. The Pechs were also a great people for ale, which they brewed frae heather; sae, ye ken, it bood to be an extraornar cheap kind of drink; for heather, I'se warrant, was as plenty then as it is now. This art o' theirs was muckle sought after by the other folk that lived in the kintry; but they would never let out the secret, but handed it down frae father to son among themselves, wi' strict injunctions frae ane to another never to let onybody ken about it.

At last the Pechs had great wars, and mony o' them were killed, and indeed they soon came to be a mere handfu' o' people, and were like to perish aff the face o' the earth. Still they held fast by their secret of the heather yill, determined that their enemies should never wring it frae them. Weel, it came at last to a great battle between them and the Scots, in which they clean lost the day, and were killed a' to tway, a father and a son. And sae the King o' the Scots had these men brought before him, that he might try to frighten them into telling him the secret. He plainly told them that, if they would not disclose it peaceably, he must torture them till they should confess, and therefore it would be better for them to yield in time. "Weel," says the auld man to the king, "I see it is of no use to resist. But there is ae condition ye maun agree to before ye learn the secret." "And what is that?" said the king. "Will ye promise to fulfil it, if it be na onything against your ain interest?" said the man. "Yes," said the king. "I will and do promise so." Then said the Pech: "You must know that I wish for my son's death, though I dinna like to take his life myself.

My son ye maun kill,
  Before I will you tell
How we brew the yill
  Frae the heather bell!"

The king was dootless greatly astonished at sic a request; but, as he had promised, he caused the lad to be immediately put to death. When the auld man saw his son was dead, he started up wi' a great stend, and cried: "Now, do wi' me as you like. My son ye might have forced, for he was but a weak youth; but me you never can force.

And though you may me kill,
  I will not you tell
How we brew the yill
  Frae the heather bell!"

The king was now mair astonished than before, but it was at his being sae far outwitted by a mere wild man. Hooever, he saw it was needless to kill the Pech, and that his greatest punishment might now be his being allowed to live. So he was taken away as a prisoner, and he lived for mony a year after that, till he became a very, very auld man, baith bedrid and blind. Maist folk had forgotten there was sic a man in life; but ae night, some young men being in the house where he was, and making great boasts about their feats o' strength, he leaned owre the bed and said he would like to feel ane o' their wrists, that he might compare it wi' the arms of men wha had lived in former times. And they, for sport, held out a thick gaud o' ern to him to feel. He just snappit it in tway wi' his fingers as ye wad do a pipe stapple. "It's a bit gey gristle," he said; "but naething to the shackle-banes o' my days." That was the last o' the Pechs.

"Made up from snatches heard from various mouths" in Robert Chambers, Popular Rhymes of Scotland

bood to be: must have been   stend: spring   gaud o' ern: iron bar   stapple: stem
shackle-banes: wrist bones

The Whale

1

As I walk't by the Firth o' Forth,
Sae lately in the nicht,
There was nae man stude at my side
Tae name yon antrin sicht.

2

Oot o' the midmaist deep it rax't
Whan saftly low'd the müne;
An' it was braid, an' unco lang,
An' the sea cam rowin' in.

3

Afore its breist the waters brak
As roond a wa' o' rocks:
Its broos were birslin i' the air
Abüne the weather-cocks.

4

An', as a fountain, frae its heid
Gaed up a waterspoot
Like it wud loup attour the müne
An' draik the sma sternes oot.

5

It cam straucht on wi' muckle mou
Wide gaunted like a pit;
An' the strang souffin' o' its braith
Sookit me intill it.

antrin: strange   rax't: reached   low'd: shone   unco: extraordinarily   rowin': rolling
birslin: bristling   attour: over, beyond   draik: drench   sternes: stars
gaunted: yawning   souffin': sighing

6

The whummlin' flood gaed ower my croun;
An' wi' a thunner-crack
The braid portcullis o' its chouks
Cam doun ahint my back.

7

Ben in the bodie o' the baest
It was nor day nor nicht,
For a' the condies o' its bluid
Low'd wi' a laich, reid licht.

8

I daunner'd here, I daunner'd there,
Thru vennel, wynd, an' pen';
An' aye the licht was roond aboot
An' aye I daunner'd ben.

9

I walkit on the lee-lang day,
I micht hae walkit twa,
Whan, a' at aince, I steppit oot
Intae a guidly schaw.

10

Ane eftir ane stude ferny trees,
Purple an' gowd an' green;
An' as the wrak o' watergaws
The fleurs fraith'd up atween.

whummlin': tumbling   chouks: jaws   condies: channels   laich: low   vennel: alley,
close   pen': pend   the lee-lang day: for a whole day   schaw: thicket or small wood
wrak: seaweed, also wreckage   watergaws: rainbows   fraith'd: frothed

11

I wud hae minded nocht ava
O' the ferlie I was in
But aye the engine o' its hairt
Gaed stoundin far abüne;
An' whan it gien an unco stert
The licht loup't in my een.

12

Lang, lang, I gowkit thru the trees
Nor livin thing saw I,
Till wi' a soundless fling o' feet
Unyirdly baes breez'd by.

13

They flisk'd an' flung'd an' flirn'd aboot
An' fluther'd roond an' roond,
But nae leaf liftit on the tree
An' nae fit made a sound.

14

An' some had heids o' stags an' bulls,
An' breists o' serpent scales:
An' some had eagles' wings an' een,
An' some had dragons' tails.

15

An' ilka baest was gowd, or green,
Or purple like the wud,
But ae strang-bodied unicorn
That was as reid as bluid.

ferlie: marvel   stoundin: beating heavily   gowkit: stared idly
unyirdly baes: unearthly beasts   flisk'd: skipped   flung'd: capered   flirn'd: twisted
fluther'd: bustled

16

Then was I minded o' a tale
That I had lang forgat;
Hoo, that afore auld Noah's ark
Hunker'd on Ararat,

17

A muckle ferlie o' the deep,
That had come up tae blaw,
Gowpit abüne the shoglin' boat
An' haik't some baes awa.

18

Here, sin the daith o' the auld world,
They dwalt like things unborn;
An' I was wae for my ain land
Twin'd o' its unicorn.

19

I stude like ane that has nae pou'r
An' yet, within a crack,
My hauns were on the unicorn
An' my bodie owre its back.

20

Wi' ae loup it had skail'd the wud,
An' wi' anither ane
'Twas skelpin' doun the gait I'd cam
Thru vennel, wynd an' pen'.

gowpit: gaped   shoglin': shaking   haik't: carried off   sin: since
twin'd o': parted from   skail'd: left clean behind   gait: way

The Smoky Smirr o Rain

21

Süne was I waur that I cud sense
The soundin' o' the sea;
An' that the licht o' my ain world
Cam round me cannily.

22

On, an' aye on, thru whistlin wind
We flang in fuddert flicht;
An' louder was the waff o' waves
An' lichter was the licht.

23

Owre ilka sound I heard the stound
O' the loupin' waterspoot,
An' as it loupt the sea-baest gowp't
An' the unicorn sprang oot:
Aye, straucht atween the sinderin' chouks
The unicorn sprang oot.

24

It steppit thru the siller air,
For day was at the daw;
An' what had been a bluid-reid baest
Was noo a baest o' snaw.

25

Or lang, my fit was by the Forth
Whaur I had stude afore;
But the unicorn gaed his ain gait
An' as he snoov'd owre Arthur's Sate
I heard the lion roar.

William Soutar

waur: aware fuddert: rushing sinderin': separating or lang: before long
snoov'd: moved steadily

Of Fame, that Monster

Fame is myscheif, quham na harm undyr the lyft
In motioun nor sterage is mair swyft.
Movand scho growis, and, passand our alquhar,
Hir strenth encressis and walxis mair and mayr.
Lytil, for feir, the fyrst tyme semys sche,
Sone eftir rysys to the starnys on hie;
Apon the grond scho walkis fra sted to sted,
And up amang the clowdis hydis hyr hed.
Throu greif of goddis commovyt, and nocht glaid,
Erth, the gret moder, bayr this child, as is said,
Last systir to Ceyos and Enchelades,
Ane huge, horribill and strange monstre, but les,
Spedy of fut, and on weyngis swyft as wynd.
Quhou mony fedderis bene on hir body fynd,
Als mony walkryfe eyn lurkis thar undir,
Als feil tongis, that for to tell is wondir,
With als feil mouthis carpis sche and beris,
Als mony hes scho prik upstandand eris.
By nycht scho fleys amyd the hevyn throu owt,
Circuland the schaddow of the erth about
With huge fard, nother cuyr gevand nor keip
Hir eyn anys to rest or tak a sleip;
Al day scho syttis, wachand byssely,
Apon the top of nobillis howsis, to spy,
Or on thir princis palyce with towris hie,
And with hir noys gret citeis affrays sche –
Als weill ramembring fenyeit and schrewit sawys
As scho the treuth and verite furth schawis.

Gavin Douglas, The Aeneid, Book IV, ch.5

fame: rumour lyft: sky our alquhar: over everywhere walxis: grows sone: soon
starnys: stars sted: place commovyt: excited last: last-born Ceyos and Enchelades:
Coeus and Enceladus, mythological giants but les: without lies, truly fedderis:
feathers walkryfe eyn: watchful eyes as feil: as many carpis: speaks beris: cries out
fard: flight nother cuyr gevand nor keip: neither caring nor needing anys: once
affrays: disturbs als weill: equally fenyeit and schrewit sawys: false and vicious words

Tam o' Shanter: A Tale

'Of Brownyis and of Bogillis full is this Buke.'
—GAWIN DOUGLAS

When chapman billies leave the street,
And drouthy neebors neebors meet;
As market-days are wearing late,
And folk begin to tak the gate;
While we sit bousing at the nappy,
An' getting fou and unco happy,
We think na on the lang Scots miles,
The mosses, waters, slaps and stiles,
That lie between us and our hame,
Whare sits our sulky, sullen dame,
Gathering her brows like gathering storm,
Nursing her wrath to keep it warm.

This truth fand honest Tam o' Shanter,
As he frae Ayr ae night did canter:
(Auld Ayr, wham ne'er a town surpasses,
For honest men and bonnie lasses).

O Tam! hadst thou but been sae wise,
As taen thy ain wife Kate's advice!
She tauld thee weel thou was a skellum,
A blethering, blustering, drunken blellum;
That frae November till October,
Ae market-day thou was na sober;
That ilka melder wi' the miller,

chapman billies: pedlar fellows   drouthy: thirsty   gate: road   nappy: ale
unco: extremely   mosses: bogs   slaps: gaps   fand: found   skellum: idler
blellum: babbler   melder: meal-grinding   siller: money

UNCO

Thou sat as lang as thou had siller;
That ev'ry naig was ca'd a shoe on,
The smith and thee gat roaring fou on;
That at the Lord's house, ev'n on Sunday,
Thou drank wi' Kirkton Jean till Monday.
She prophesied that, late or soon,
Thou wad be found, deep drown'd in Doon,
Or catch'd wi' warlocks in the mirk,
By Alloway's auld, haunted kirk.

Ah! gentle dames, it gars me greet,
To think how mony counsels sweet,
How mony lengthen'd, sage advices
The husband frae the wife despises!

But to our tale:— Ae market-night,
Tam had got planted unco right,
Fast by an ingle, bleezing finely,
Wi' reaming swats, that drank divinely;
And at his elbow, Souter Johnie,
His ancient, trusty, drouthy crony:
Tam lo'ed him like a very brither;
They had been fou for weeks thegither.
The night drave on wi' sangs and clatter;
And aye the ale was growing better:
The landlady and Tam grew gracious,
Wi' favours secret, sweet, and precious:
The Souter tauld his queerest stories;
The landlord's laugh was ready chorus:
The storm without might rair and rustle,
Tam did na mind the storm a whistle.

naig: horse   ca'd: shod   gars: makes   reaming swats: foaming new ale
Souter: Cobbler

The Smoky Smirr o Rain

Care, mad to see a man sae happy,
E'en drown'd himsel amang the nappy.
As bees flee hame wi' lades o' treasure,
The minutes wing'd their way wi' pleasure:
Kings may be blest, but Tam was glorious,
O'er a' the ills o' life victorious!

But pleasures are like poppies spread:
You seize the flow'r, its bloom is shed;
Or like the snow falls in the river,
A moment white – then melts for ever;
Or like the Borealis race,
That flit ere you can point their place;
Or like the rainbow's lovely form
Evanishing amid the storm.
Nae man can tether time or tide,
The hour approaches Tam maun ride;
That hour, o' night's black arch the key-stane,
That dreary hour Tam mounts his beast in;
And sic a night he taks the road in,
As ne'er poor sinner was abroad in.

The wind blew as 'twad blawn its last;
The rattling showers rose on the blast;
The speedy gleams the darkness swallow'd;
Loud, deep, and lang the thunder bellow'd:
That night, a child might understand,
The Deil had business on his hand.

Weel mounted on his grey mare, Meg,
A better never lifted leg,
Tam skelpit on thro' dub and mire,

lades: loads   maun: must   dub: puddle

UNCO

Despising wind, and rain, and fire;
Whiles holding fast his guid blue bonnet,
Whiles crooning o'er some auld Scots sonnet,
Whiles glow'ring round wi' prudent cares,
Lest bogles catch him unawares;
Kirk-Alloway was drawing nigh,
Where ghaists and houlets nightly cry.

By this time he was cross the ford,
Whare in the snaw the chapman smoor'd;
And past the birks and meikle stane,
Whare drunken Charlie brak's neck-bane;
And thro' the whins, and by the cairn,
Where hunters fand the murder'd bairn;
And near the thorn, aboon the well,
Where Mungo's mither hang'd hersel.
Before him Doon pours all his floods;
The doubling storm roars thro' the woods;
The lightnings flash from pole to pole;
Near and more near the thunders roll:
When, glimmering thro' the groaning trees,
Kirk-Alloway seem'd in a bleeze;
Thro' ilka bore the beams were glancing,
And loud resounded mirth and dancing.

Inspiring, bold John Barleycorn!
What dangers thou canst make us scorn!
Wi' tippenny, we fear nae evil;
Wi' usquabae, we'll face the Devil!
The swats sae ream'd in Tammie's noddle,

whiles: sometimes   glow'ring: staring   bogles: spectres or goblins   houlets: owls
smoor'd: smothered   birks: birches   meikle: big   aboon: above
ilka bore: every hole   tippenny: ale   usquabae: whisky
car'd na deils a boddle: did not care a penny for devils

The Smoky Smirr o Rain

Fair play, he car'd na deils a boddle,
But Maggie stood, right sair astonish'd,
Till, by the heel and hand admonish'd,
She ventur'd forward on the light;
And, wow! Tam saw an unco sight!

Warlocks and witches in a dance:
Nae cotillon, brent new frae France,
But hornpipes, jigs, strathspeys, and reels,
Put life and mettle in their heels.
At winnock-bunker in the east,
There sat auld Nick, in shape o' beast;
A tousie tyke, black, grim, and large,
To gie them music was his charge:
He screw'd the pipes and gart them skirl,
Till roof and rafters a' did dirl.
Coffins stood round, like open presses,
That shaw'd the dead in their last dresses;
And, by some devilish cantraip sleight,
Each in its cauld hand held a light:
By which heroic Tam was able
To note upon the haly table,
A murderer's banes, in gibbet-airns;
Twa span-lang, wee, unchristen'd bairns;
A thief, new-cutted frae a rape –
Wi' his last gasp his gab did gape;
Five tomahawks, wi' bluid red-rusted;
Five scimitars, wi' murder crusted;
A garter which a babe had strangled;
A knife, a father's throat had mangled –
Whom his ain son of life bereft –

unco: amazing   cotillon: a kind of country dance   brent new: brand new
winnock-bunker: window-seat   tousie tyke: shaggy dog   dirl: ring
presses: cupboards   cantraip sleight: magical device   airns: irons   rape: rope

UNCO

The grey-hairs yet stack to the heft;
Wi' mair of horrible and awfu',
Which even to name wad be unlawfu'.

As Tammie glowr'd, amaz'd, and curious,
The mirth and fun grew fast and furious;
The Piper loud and louder blew,
The dancers quick and quicker flew,
They reel'd, they set, they cross'd, they cleekit,
Till ilka carlin swat and reekit,
And coost her duddies to the wark,
And linkit at it in her sark!

Now Tam, O Tam! had they been queans,
A' plump and strapping in their teens!
Their sarks, instead o' creeshie flannen,
Been snaw-white seventeen hunder linen! –
Thir breeks o' mine, my only pair,
That aince were plush, o' guid blue hair,
I wad hae gi'en them off my hurdies,
For ae blink o' the bonnie burdies!

But wither'd beldams, auld and droll,
Rigwoodie hags wad spean a foal,
Louping and flinging on a crummock,
I wonder did na turn thy stomach!

But Tam kend what was what fu' brawlie:
There was ae winsome wench and wawlie
That night enlisted in the core,

cleekit: grasped   carlin: old witchwife   swat and reekit: sweated and steamed   coost
her duddies: stripped off her clothes   linkit: danced, capered   creeshie: greasy
thir: these   hurdies: buttocks   beldams: old wives   rigwoodie: gnarled   spean:
wean   crummock: stick, shepherd's crook   fu' brawlie: full well   wawlie: comely

71

The Smoky Smirr o Rain

Lang after kend on Carrick shore
(For mony a beast to dead she shot,
And perish'd mony a bonnie boat,
And shook baith meikle corn and bear,
And kept the country-side in fear):
Her cutty sark, o' Paisley harn,
That while a lassie she had worn,
In longitude tho' sorely scanty,
It was her best, and she was vauntie.
Ah! little kend thy reverend grannie,
That sark she coft for her wee Nannie,
Wi' twa pund Scots ('twas a' her riches),
Wad ever grac'd a dance of witches!

But here my Muse her wing maun cour,
Sic flights are far beyond her power;
To sing how Nannie lap and flang
(A souple jad she was and strang);
And how Tam stood, like ane bewitch'd,
And thought his very een enrich'd:
Even Satan glowr'd, and fidg'd fu' fain,
And hotch'd and blew wi' might and main;
Till first ae caper, syne anither,
Tam tint his reason a' thegither,
And roars out, "Weel done, Cutty-sark!"
And in an instant all was dark;
And scarcely had he Maggie rallied
When out the hellish legion sallied.

As bees bizz out wi' angry fyke,
When plundering herds assail their byke;

core: company meikle: much bear: barley cutty sark: short shift harn: cloth
vauntie: proud coft: bought cour: stoop jad: jade, wicked woman
fidg'd fu' fain: fidgeted with pleasure hotch'd: jerked tint: lost fyke: fuss byke: hive

As open pussie's mortal foes,
When, pop! she starts before their nose;
As eager runs the market-crowd,
When "Catch the thief!" resounds aloud;
So Maggie runs, the witches follow,
Wi' mony an eldritch skriech and hollo.

Ah, Tam! Ah, Tam! thou'll get thy fairin,
In hell they'll roast thee like a herrin!
In vain thy Kate awaits thy comin!
Kate soon will be a woefu' woman!
Now, do thy speedy-utmost, Meg,
And win the key-stane o' the brig;
There, at them thou thy tail may toss,
A running stream they dare na cross!
But ere the key-stane she could make,
The fient a tail she had to shake;
For Nannie, far before the rest,
Hard upon noble Maggie prest,
And flew at Tam wi' furious ettle;
But little wist she Maggie's mettle!
Ae spring brought off her master hale,
But left behind her ain grey tail:
The carlin claught her by the rump,
And left poor Maggie scarce a stump.

Now, wha this tale o' truth shall read,
Ilk man and mother's son, take heed:
Whene'er to drink you are inclin'd,
Or cutty-sarks rin in your mind,
Think, ye may buy the joys o'er dear;
Remember Tam o' Shanter's mare.

Robert Burns

eldritch: unearthly   thy fairin: what you deserve   fient: devil, i.e. damn-all
ettle: intent   wist: knew   hale: whole   claught: seized

The Prows o' Reekie

O wad this braw hie-heapit toun
Sail aff like an enchanted ship,
Drift owre the warld's seas up and doun
And kiss wi' Venice lip to lip,
Or anchor into Naples' Bay
A misty island far astray,
Or set her rock to Athens' wa',
Pillar to pillar, stane to stane,
The cruikit spell o' her backbane,
Yon shadow-mile o' spire and vane,
Wad ding them a', wad ding them a'!
Cadiz wad tine the admiralty
O' yonder emerod fair sea,
Gibraltar frown for frown exchange
Wi' Nigel's Crags at elbuck-range,
The rose-red banks o' Lisbon make
Mair room in Tagus for her sake.

A hoose is but a puppet-box
To keep life's images frae knocks,
But mannikins scrieve oot their sauls
Upon its craw-steps and its walls:
Whaur hae they writ them mair sublime
Than on yon gable-ends o' time?
                              Lewis Spence

ding: beat   tine: lose   emerod: emerald   elbuck: elbow   scrieve: write

TOUN

Auld Reikie

AN EXTRACT

Now morn, with bonny purpie-smiles,
Kisses the air-cock o' St Giles;
Rakin their een, the servant lasses
Early begin their lies and clashes;
Ilk tells her friend o' saddest distress,
That still she brooks frae scouling mistress;
And wi her joe in turnpike stair
She'd rather snuff the stinking air,
As be subjected to her tongue,
When justly censur'd in the wrong.

  On stair wi tub, or pat in hand,
The barefoot housemaids loo to stand,
That antrin fock may ken how snell
Auld Reikie will at morning smell:
Then, with an inundation big as

Edina's roses: the "flouers o' Edinburgh", i.e. contents of chamberpots etc.
leesh: lash   creesh: slap   eithly: easily   fauld: sheepfold
Luckenbooths: small booths in the High Street   eke: also   kittle: tricky, ticklish

The Smoky Smirr o Rain

The burn that 'neath the Nore Loch brig is,
They kindly shower Edina's roses,
To quicken and regale our noses.
Now some for this, wi satire's leesh,
Hae gien auld Edinburgh a creesh:
But without souring nocht is sweet;
The morning smells that hail our street
Prepare, and gently lead the way
To simmer canty, braw and gay;
Edina's sons mair eithly share
Her spices and her dainties rare,
Than he that's never yet been call'd
Aff frae his plaidie or his fauld.

  Now stairhead critics, senseless fools,
Censure their aim, and pride their rules,
In Luckenbooths, wi glowring eye,
Their neighbours' sma'est faults descry:
If ony loun should dander there,
Of aukward gate and foreign air,
They trace his steps, till they can tell
His pedigree as weel's himsel.

  Whan Phoebus blinks wi warmer ray,
And schools at noonday get the play,
Then bus'ness, weighty bus'ness comes;
The trader glowrs, he doubts, he hums;
The lawyers eke to Cross repair,
Their wigs to shaw, and toss an air;
While busy agent closely plies,
And a' his kittle cases tries.

purpie-smiles: blushes   air-cock: weather-cock   clashes: gossip   joe: sweetheart
snell: sharp

TOUN

  Now Night, that's cunzied chief for fun,
Is wi her usual rites begun;
Thro' ilka gate the torches blaze,
And globes send out their blinking rays.
The usefu cadie plies in street,
To bide the profits o' his feet;
For by thir lads Auld Reikie's fock
Ken but a sample o' the stock
O' thieves, that nightly wad oppress,
And make baith goods and gear the less.
Near him the lazy chairman stands,
And wats na how to turn his hands,
Till some daft birky, ranting fu,
Has matters somewhere else to do;
The chairman willing gies his light
To deeds o' darkness and o' night:
It's never sax pence for a lift
That gars thir lads wi fu'ness rift;
For they wi better gear are paid,
And whores and culls support their trade.

  Near some lamp-post, wi dowy face,
Wi heavy een and sour grimace,
Stands she that beauty lang had kend,
Whoredom her trade, and vice her end.
But see wharenow she wuns her breid
By that which Nature ne'er decreed,
And sings sad music to the lugs,
'Mang bourachs o' damn'd whores and rogues.
Whane'er we reputation loss,
Fair chastity's transparent gloss,

cunzied: coined, made   cadie: street messenger   wats: knows   birky: fellow
rift: belch   dowy: gloomy   bourachs: clusters

The Smoky Smirr o Rain

Redemption seenil kens the name,
But a's black misery and shame.

  Frae joyous tavern, reeling drunk,
Wi fiery phizz and een half sunk,
Behad the bruiser, fae to a'
That in the reek o' gardies fa:
Close by his side, a feckless race
O' macaronies shew their face,
And think they're free frae skaith or harm,
While pith befriends their leader's arm:
Yet fearfu aften o' their maught,
They quat the glory o' the faught
To this same warrior wha led
Thae heroes to bright honour's bed;
And aft the hack o' honour shines
In bruiser's face wi broken lines:
Of them sad tales he tells anon,
Whan ramble and whan fighting's done;
And, like Hectorian, ne'er impairs
The brag and glory o' his sairs.

  Whan feet in dirty gutters plash,
And fock to wale their fitstaps fash,
At night the macaroni drunk,
In pools or gutters aftimes sunk:
Hegh! what a fright he now appears,
Whan he his corpse dejected rears!
Look at that head, and think if there
The pomet slaister'd up his hair!

seenil: seldom   phizz: face   behad: behold   fae to a' that in the reek o' gardies fa:
foe to all who come within reach of his fists   macaronies: dandies   maught: strength
faught: fight   wale their fitstaps: pick their steps   fash: worry   pomet: hair-oil
slaister'd: greased

TOUN

The cheeks observe, where now could shine
The scancing glories o' carmine?
Ah, legs! in vain the silk-worm there
Display'd to view her eident care;
For stink, instead of perfumes, grow,
And clarty odours fragrant flow.

  Now some to porter, some to punch,
Some to their wife, and some their wench,
Retire, while noisy ten-hours' drum
Gars a' your trades gae dandring home.
Now mony a club, jocose and free,
Gie a' to merriment and glee;
Wi sang and glass they fley the pow'r
O' Care that wad harass the hour:
For wine and Bacchus still bear down
Our thrawart fortune's wildest frown:
It maks you stark, and bauld, and brave,
Ev'n whan descending to the grave.

Robert Fergusson

eident: industrious   ten-hours' drum: drum sounded at ten o' clock for closing-time
gars: makes   fley: put to flight   thrawart: adverse

The Jeely Piece Song

I'm a skyscraper wean, I live on the nineteenth flair,
But I'm no gaun oot tae play ony mair,
'Cause since we moved tae Castlemilk, I'm wastin' away
'Cause I'm gettin' wan less meal every day:

Ch.   *Oh ye cannae fling pieces oot a twenty storey flat,*
        Seven hundred hungry weans'll testify to that.
        If it's butter, cheese or jeely, if the breid is plain or pan,
        The odds against it reaching earth are ninety-nine tae wan.

On the first day ma maw flung oot a daud o' Hovis broon;
It came skytin' oot the windae and went up insteid o' doon.
Noo every twenty-seven hoors it comes back intae sight
'Cause ma piece went intae orbit and became a satellite.

On the second day ma maw flung me a piece oot wance again.
It went and hut the pilot in a fast low-flying plane.
He scraped it aff his goggles, shouting through the intercom,
"The Clydeside Reds huv goat me wi a breid-an-jeely bomb."

On the third day ma maw thought she would try another throw.
The Salvation Army baun' was staunin' doon below.
'Onward, Christian Soldiers' was the piece they should've played
But the oompah man was playing a piece an' marmalade.

We've wrote away to Oxfam to try an' get some aid,
An' aw the weans in Castlemilk have formed a "piece brigade".
We're gonnae march to George's Square demanding civil rights
Like nae mair hooses ower piece-flinging height.

Song by Adam McNaughtan

Neighbours

22ⁿᵈ November 1588

The quhilk day anent the trublance persewit be James Scott, painter, burges of Glasgow, againis Adame Elphinstoun glasinwright, David Reid, Thomas Reid, Arthour Fischour, and Andro Bucklis – The said Adame is fundin in the wrang and amerciament of court, for the streking of the said James Scott on the breist with ane pistolat, throw the force quhairof he dang the said James to the eird, and effusioun of his bluid in grit quantitie. And siclyk the same Adame is fundin in the wrang and amerciament of court, for cumin to the said James Scottis hous at Lambes last, and sutting of George Scott, sone to said James, with ane drawin sword, and saying, gif he had him, he suld lay his pudenis about his feete, and biddin of the said George Scott come furth or ellis he suld haif ane cauld armefull of him.

21ˢᵗ January 1589

The quhilk day Jonete Bogyll, spous to James Craig, is decernit in ane wrang and amerciament of court, for the hurting of Jonete Clogy, spous of Johne Cuthbert, on the heid with ane stane to the effusioun of her bluid in grite quantitie; and sickly the said Jonete Clogy is decernit in ane wrang for streking of the said Jonete Bogyll on the halfatt, and ruiging of courch af hir heid, and dume gevin thairupon.

29ᵗʰ May 1590

The quhilk day Alspaith Clogy, dochter to Thomas Clogy, is decernit in ane wrang and amerciament of court for casting of stanes at Christiane Sauchie, and byting of hir throuch the airme, and latting the piece flesche quhilk sche bait fall in the water.

From the Burgh Records of Glasgow

amerciament: subjected to a fine   eird: earth   siclyk: likewise   Lambes: Lammas
sutting: pursuing   pudenis: guts   decernit: judicially decided   sickly: similarly
halfatt: cheek   ruiging: tugging, pulling   courch: woman's cap   dume: judgment

The Seiven Auld Yins

FOR VICTOR HUGO

In this hotchin city, city thrang wi dreams,
There's aye some ghaistie cadgin at yer heel.
There's signs an wunners sypin throu the wynds
Like sap throu the veins o Finn, or Pantagruel.

Ae morn, the hooses loomin in the haar
Heich as some michty river's drumlie shores –
The haill place decked oot like an actor's sowl –
A fousome smoch spewin oot frae aw its pores,

Steelin masel even as ma ivery muve
Wis bein disputit by ma smerghless hert,
I daunert throu the Auld Toun, feelin it
Shak wi lorry, bus an scaffie-cairt.

Syne there afore ma face an auld man kythed
Whase yella broukit brats micht juist hae been
Torn frae the plowterie sky. Ma pity teemed –
Till I saw the malice skinklin in his een.

His pupil wis pure droukit fou wi bile.
Its luik wud hae pit an edge on the snellest frost.
His lang stiff baird jagged oot like hairy swords.
(I thocht o Judas, orra an ootcast.)

hotchin: heaving   thrang: thronged, busy   cadgin: jogging, begging   sypin: seeping
drumlie: muddy, gloomy   fousome: nauseous   smoch: smog   smerghless: lacking
marrow or energy   kythed: appeared   broukit: dirt-streaked: brats: rags
plowterie: wet and dirty   teemed: overflowed   skinklin: twinkling
droukit: drenched   snellest: sharpest   orra: worthless, unmatched

TOUN

No juist camsheuch, he wis twafauld –
Richt-angled whaur his legs an backbane met;
His stick gied him the final touch –
The ill-gaun hochle an the set

O some no-weel fower-fuitit beast, or Fagin adrift on three.
He warsled on throu snaw an glaur an glit
As if his bauchles stramped the deid, as if
He wisna juist uncarin o the warld, but hatit it.

Ahint him cam his very image: baird, ee, back, stick, duds,
No a spit atween this an his ancient brither,
An baith frae the same grim hell. Awa they gaed
Tae whitiver unkent goal wis theirs, in step thegither.

Whit sleekit plot wis I the witness tae,
The geck o whit wanchancy, wickit ploy?
Seiven times I coontit, yin eftir anither,
Thon sinister auld bodach gaun by.

Dinna mock at me for bein sae fashed,
Or if ye dae, an winna grue in sympathy,
Consider weel: tho sairly brukken doun,
Thae monsters had the luik o immortality!

I felt I cudna live an see the eicht
Dour parrymauk, the last thrawn, fatal octuplet,
Scunnersome Phoenix, son an faither o himsel –
I scarpered frae that hellish hirplin set.

camsheuch: crooked twafauld: bent double hochle: shuffle warsled: struggled
glaur: mud glit: slime bauchles: old shoes stramped: trampled duds: clothes
sleekit: subtle geck: fool bodach: old man fashed: disturbed grue: shudder
eicht: eighth parrymauk: exact replica scunnersome: revolting hirplin: hobbling

The Smoky Smirr o Rain

Like a drunk man wi the horrors I gaed hame,
Steikit ma door, lay doun, steikit ma een,
Seik an oot o 'sorts, ma haill ingyne on fire
Wi thochts o aw the madness I had seen.

In vain ma reason tried tae tak the helm,
But wi ivery skelp the storm ramfeezled me;
Ma sowl wis reelin, reelin, an auld howk
Mastless, on a howlin, shoreless sea.

Charles Baudelaire, 'Les Sept Vieillards', translated by James Robertson

steikit: shut tight   ingyne: intellect   ramfeezled: exhausted   howk: hulk

Tumult

In that simmer [1592] the devill steired upe a maist dangerus uproar and tumult of the peiple of St Androis against my uncle, Mr Andro [Melville]… The wicked, malitius misrewlars of that town… hated Mr Andro, because he could nocht bear with thair ungodlie and unjust delling, and at thair drinking, [and] incensit the rascals be fals information against Mr Andro and his Collage, making tham to think that he and his Collage sought the wrak and trouble of the town; sa that the barme of thair drink began to rift out crewall thretnings against the Collage and Mr Andro. They being thus prepeared, the devill devyses tham an appeirance of just occasion to fall to wark. Ther war a certean of Students in Theologie, wha weireing to go out of the Collage to thair exerceise of bodie and gham, big a pear of buttes in the Collage garding, joyning to a wynd and passage of the town. Wharat a certean of tham shootting a efter noone, amangs the rest was Mr Johne Caldcleuche, then ane of the Maisters of Theologie bot skarse yit a schollar in archerie, wha missing the butt and a number of thak housses beyonde, schouttes his arrow down the hie passage of the wynd, quhilk lightes upon a auld honest man, a matman of the town, and hurts him in the crag. This coming to the eares of the forsaid malitius and seditius, they concitat the multitud and popular crafts and rascall, be thair words and sound of the comoun bell; wha setting upon the Collage, braks upe the yett thairof, and with grait violence unbesets the Principall's chalmer, dinging at the forstare thairof with great gestes, crying for fyre, etc. But the Lord assisting his servant with wesdome and courage, maid him to keipe his chalmer stoutlie, and dell with sum of tham fearlie, whom he knew to be abbusit, and with uthers scharplie, whom he knew to be malitius abbusars of the peiple… Efter lang vexation and mikle adoe, the peiple's insurrection was sattelit.

James Melville, Autobiography and Diary

barm: yeast rift: belch gham: game big: built thak: thatched matman: maltster crag: neck yett: gate unbesets: attacks forstare: outside stair gestes: joists sattelit: settled

Elvis

Matthew Fitt's novel But n Ben A-Go-Go is set in the year 2090. Global flooding has left most of the world under water, and Scotland is a community of floating island cities, or Parishes, known collectively as Port. Each Parish is attached by steel cables to the sea-bed seven hundred metres below. The sun beats relentlessly down, except when, as in this extract, a hurricane strikes.

Port tholed Hurricane Elvis 48 oors afore the hert o the storm cowped in on itsel an mizzled oot owre the Sea o Iceland.

Doon in the storm bields, on each o Port's twinty-seeven Parishes, weans gret, auld wifes hoastit an Russian grandfaithers chowed their thoums owre broukit games o chess. The air in the chaumers deep in the Parish bowels wis sair tae breathe. Watter skailed in fae gaws in the roof. The shilpit an the seik chittered unner drookit blankets while wallydraigles o laddies guddled bairnishly in the sheuchs.

Efter twa days wi yin million sowels stewin athoot a chynge o claes or a skitter o soap, there wisna a bield didnae reek o oxters an feet. Packymen pauchled roon the bell-shaped chaumers, sellin deodorants, duty-free paracetamol an pokey hats. Port Buddies seched in lang queues, polythene ashets in their haun, waitin on wabbit microwave cuisine fae stressed-oot, soor-faced kitchen staff.

A sham o normality hingit like a fine stoor owre the boorach o hooseless citizens but amang fowk an their faimlies, the tension wis as thick as clart. Ootside, the storm aye rummled like a dangerous baist an the nieve o the sea chapped like a god against the Parishes' iron hulls.

Burth-mithers an their pairtners, airms linkit roon their weans, gowked at waws flicherin wi television screens. Sea TV hotched wi picturs o burnin buildins. Anchormen havered excitedly aboot the radge wildfire bleeze that wis pugglin the city's emergency services.

Shooglie footage fae a Cable Z minicopter revealed a collieshangie o flames on the deck o Glenrothes Parish. Ibrox 5 vid-crews yappit efter fire trucks an ambulances on Bathgate an Elgin Parishes. Andrews

Parish smuchtered like a weet bonfire in the smeekit haar. Inverness Parish hauched thick bleck smoke intil the atmosphere an the skyscrapers o Glasgow Parish wis like a raw o lums against the grey lift.

Bawbee Brig an the Clyde Expresswey had baith been cowped intil the bilin Delta watter. Helicopter crews hottered abinn the collapsed linkweys, fishin screamin sowels oot o the sea. Polis junks were visible flittin refugees aroon the Skagerrak. Dundee Parish wis laich in the watter an the news desks wis janglin wi reports o Dunbar an Kilbride Parishes lettin in.

The people ben in the hurricane bields glowered at the picturs o their bauchled streets athoot collogue. Electric cables, lowsed by the wund, hingit in taigles across avenues an vennels. Toxins bubbled at the mooths o cundies an maist o the 1000 km o Sheuch Public Transit wis whummled.

Professional bletherers on the popular live talk channel, Havers Inc, were cryin Elvis ane o the sairest cyclones ever tae ding doon on the maritime metropolis. In the hauf century bygane since God's Flood, the city had had tae dree mair than a hunner an fufty tropical storms. Each Parish wis biggit tae thole vernear every kind o mishanter the North Atlantic dispatched til it. The steel island muckle-structures, chained by stieve cables tae the ocean flair, were able tae sook up the fury o maist o the seasonal taifuns an tsunamis, but nou an again, Port foond itsel fechtin for existence against ae singil radge catastrophic storm.

Bonaccord 3 cairried aerial an satellite photostills o Port. Cameras thirled tae the wames o licht aircraft dichted the screens wi panoramas o the storm-blootered Parishes. The twinty-seeven settlements riz an fell on the birslin ocean. Each ane keltered like a coracle on the roch, white-heidit sea as gurlie wunds grupped the dark metal structures an hurled them thegither wi a dour clang. Fae yin mile up, the Parishes were like a guddle o clatty ile-drums; fae space, Port looked mair like a bleck ee.

Shammydab, the entertainment channel, howanever, managed tae kittle fowk's spirits throu-oot the storm wi updates on the safety o kenspeckle celebrities detained in Port by the uncanny weather.

The weel-kent coupon o the Taiwanese virtual explorer, Che Kirk Wong, keeked oot intermittently fae the city's television screens, his hallmerk slaverie Havana wedged atween his million-dollar wallies. The soople fingirs o a Marriot Hotel masseuse slaistered lotions owre the shilpit adventurer's plooky shooders as Kirk Wong recoontit throu the fug o his cigar his latest daith-deavin splores in the laich rooms an regions o the cyberspace archives. A monogram o his new bestseller, alang wi the price, blinked in the neuk o the screen an the haill interview hirpled roon on a continuous loop in Flemish, American, Arabic an Scots.

Shammydab's cameras jouked impetuously roon Port, snappin efter mair famous fizzogs. Rachel Loyola, the first albino wumman tae soom the Atlantic, wis at the Airport Hilton on Falkirk Parish burlin her muckle anabolic-biggit airms aboot in an impromptu demonstration o the Pacific Rim Crawl. His Royal Hieness, Eduardo Stewart, wis dichtin broos wi a wat cloot in a hurricane bield fou o dowie an epileptic weans. Fluminese, the Rio exhibition team, in toun for a World League play-off wi FC Portic Thistle, had been tracked doon tae the Stade Olympique hospitality centre on Edinburgh Parish where they were seein oot the storm in a gravity-free jacuzzi wi the first fufteen o the Pan-European Wumman's Hurlin Team.

Syne suddenly every screen an station lowped tae live picturs o a helicopter bizzin angrily owre the Parish o Selkirk.

The muckle man-wrocht island had shoogled apairt fae its neebors an wis hingin heavy tae ae side, a skelly silhouette on the jow o the sea. Klaxons bummed an warnin lichts bleezed as helicopter crews focht the high wunds tae pou auld yins an bairns fae the taps o buildins.

A ramstougar wave clashed aff the Parish stern an tapsalteeried the settlement o toun hooses an shoppin malls further intil the watter. As the Parish cowped slowly owre fae left tae richt, the communications touer an the high rise flats in the dockers' quarter dreed sae stey an angle that the bolts an foondstanes were riven oot o their larachs as easy as rotten teeth.

TOUN

Waws juddered. Windaes boaked furniture. Gless dinged doon like rain. An ice cairt skitit the length o Wallace Boulevard an rattled the shop fronts at Fish Row. Garbage sliddered throu the cundies. A wean's basketbaw stotted its lane doon a desertit street. On the teeterin promenade, laddies an men wis puhlin aff their sarks an flingin theirsels intil the carnaptious waves echty metre ablow.

The hot news fae a fleg-faced reporter burlin up an doon on a polis launch hauf a klick fae the bauchled Parish wis that Selkirk wis lowsed fae Greenock. The storm had managed tae sned the stieve fibre-alloy cable that thirled each Parish til the mutual anchor on the sea flair at the drooned maritime burgh.

The muckle waves finally rowed Selkirk owre ontae its side an the population o Port gowked at their tv cubes as the ocean swallaed the hunner thoosan tonne metal structure like it wis a sweetie or a peel.

Matthew Fitt, But n Ben A-Go-Go

tholed: suffered   mizzled: faded, melted   bields: shelters   hoastit: coughed
skailed: poured   gaws: creases   shilpit: puny-looking   wallydraigles: feeble-looking
persons   sheuchs: gutters   seched: sighed   boorach: confused mass   clart: dirt
nieve: fist   gowked: stared   pugglin: exhausting   collieshangie: uproar
smuchtered: smouldered   hauched: hawked   collogue: conversation
cundies: drains   dree: endure   mishanter: misfortune   stieve: strong
dichted: swept   thirled: bound   birslin: bristling with anger   gurlie: growling, fierce
kittle: stimulate   kenspeckle: well-known   splores: escapades   hirpled: limped
dichtin: wiping   dowie: sad   skelly: squint   jow: swell   ramstougar: rough and strong
stey: steep   larachs: foundations   its lane: on its own   carnaptious: bad-tempered,
quarrelling   fleg-faced: frightened-looking   sned: sever

MOOSE

To a Mouse

On turning her up in her nest with the plough,
November 1785

Wee, sleekit, cowrin, tim'rous beastie,
O, what a panic's in thy breastie!
Thou need na start awa sae hasty,
            Wi' bickering brattle!
I wad be laith to rin an' chase thee,
            Wi' murdering pattle!

I'm truly sorry man's dominion
Has broken Nature's social union,
An' justifies that ill opinion
            Which makes thee startle
At me, thy poor, earth-born companion
            An' fellow mortal!

sleekit: smooth-coated   bickering brattle: hurrying clatter   pattle: plough-staff

MOOSE

I doubt na, whyles, but thou may thieve;
What then? poor beastie, thou maun live!
A daimen icker in a thrave
   'S a sma request;
I'll get a blessin wi' the lave,
   An' never miss't!

Thy wee-bit housie, too, in ruin!
Its silly wa's the win's are strewin!
An' naething, now, to big a new ane,
   O' foggage green!
An' bleak December's win's ensuin,
   Baith snell an' keen!

Thou saw the fields laid bare an' waste,
An' weary winter comin fast,
An' cozie here, beneath the blast,
   Thou thought to dwell,
Till crash! the cruel coulter past
   Out thro' thy cell.

That wee bit heap o' leaves an' stibble,
Has cost thee mony a weary nibble!
Now thou's turn'd out, for a' thy trouble.
   But house or hald,
To thole the winter's sleety dribble,
   An' cranreuch cauld!

whyles: sometimes   daimen icker in a thrave: odd ear in twenty-four sheaves
lave: remainder silly: feeble foggage: coarse grass snell: bitter coulter:
ploughshare stibble: stubble but house or hald: without house or holding
thole: endure cranreuch: hoar-frost

The Smoky Smirr o Rain

But Mousie, thou art no thy lane,
In proving foresight may be vain:
The best-laid schemes o' mice an' men
      Gang aft agley,
An' lea'e us nought but grief an' pain,
        For promis'd joy!

Still thou art blest, compar'd wi' me!
The present only toucheth thee:
But och! I backward cast my e'e,
      On prospects drear!
An' forward, tho' I canna see,
        I guess an' fear!
              Robert Burns

thy lane: alone   gang aft agley: often go awry

Acid Burns

Moose, moose, moose, moose, moose,
Moose, moose, moose, moose, moose,
By yon bonnie banks go burn the hoose doon
By yon bonnie banks go burn the hoose doon
By yon bonnie banks go burn the hoose doon
By yon bonnie banks go burn the hoose doon
Ha, where ye gaun, ye crowlan ferlie
By yon bonnie banks go burn the hoose doon
By yon bonnie banks go burn the hoose doon
By yon bonnie bonnie gonnie burn the hoose doon
By yon bonnie bonnie gonnie burn the hoose doon
Thy poor earth-born companion
Pump up the bogles
Pump up the bogles
By yon bonnie banks go burn the hoose doon
By yon bonnie banks go burn the hoose doon
Hoose
Hoose
Hoose
Hoose
Thurs a poem in the hoose
in the hoose
in the hoose
Thurs a poem in the hoose
in the poem
in the hoose
Thurs a moose in the poem
in the poem
in the poem
Thurs a moose in the poem in the hoose

The Smoky Smirr o Rain

By yon bonnie banks go bonnie bonnie bonnie bonnie
   yon bonnie banks go bonnie bonnie bonnie bonnie
       Welcome
       To your
       Gory bed wee
       Sleekit
       Tim'rous
       Hoose.

Thurs a louse in the house
       in the house
       in the house
Thurs a louse on the moose
       in the hoose
       in the poem
Thurs a louse in the house
    ana moose on the loose
Thurs a moose on the loose in the hoose.

BBBBBBBBBBBBBBBBY yon bonnie banks go burn the hoose
  doon
By yon bonnie banks go burn the hoose doon
Burnin
     Burnin
         Burnin
           Burnin
           HOOSE!
             Mike Cullen

Tae a Mousse

O queen o sludge, maist royal mousse,
yir minions bear ye ben thi hoose,
O quakin sheikess, lavish, loose,
        dessert o fable:
ye pit thi bumps back on ma goose
        and shauk ma table.

Ye lang cloacal loch o choc,
grecht flabby door at which Eh knock,
and wi ma spunie seek a lock
        tae mak ye gape,
ye flattened, tockless cuckoo clock
        that drives me ape.

Come let me lift ye tae ma mooth
and pree yir pertness wi ma tooth –
ye slake ma hunger and ma drouth
        wi wan sma bite:
come pang ma toomness tae thi outh
        wi broon delight.

Let ane and aa dig in thir spades
and cerve oot chocolate esplanades,
and raise thir umber serenades
        at ilka sip:
sweet Venus, queen o cocoa glades
        and thi muddied lip!
              W.N. Herbert

pree: taste   drouth: thirst   pang: stuff   toomness: emptiness   outh: utmost

The Taill of the Paddok and the Mous

Upon ane tyme, as Esope culd report,
Ane lytill mous come till ane rever syde.
Scho micht not waid, hir schankis wer sa schort,
Scho culd not swym, scho had na hors to ryde.
Off verray force behovit hir to byde;
And to, and fra, besyde that revir deip,
Scho ran, cryand, with mony pietuous peip.

"Help ouer, help ouer," this silie mous can cry,
"For Goddis lufe, sum bodie ouer the brym."
With that ane paddok in the watter by,
Put up hir heid, and on the bank can clym;
Quhilk be nature culd douk, and gaylie swym.
With voce full rauk, scho said on this maneir:
"Gude morne, schir mous, quhat is your erand heir?"

"Seis thow," quod scho, "off corne yone jolie flat,
Off ryip aitis, off barlie, peis, and quheit?
I am hungrie, and fane wald be thair at,
Bot I am stoppit be this watter greit,
And on this syde, I get na thing till eit
Bot hard nuttis, quhilkis with my teith I bore:
Wer I beyond, my feist wer fer the more.

"I have no boit, heir is no maryner:
And thocht thair war, I have no fraucht to pay."
Quod scho, "Sister, lat be your hevie cheir:
Do my counsall, and I sall find the way,

paddok: frog or toad   off verray force behovit hir: sheer necessity obliged her
silie: pitiful   brym: water   full rauk: very hoarse   flat: field   ryip aitis: rype oats
quheit: wheat   fane: gladly   bore: break   fraucht: funds
lat be your hevie cheir: forget your sorrow

96

MOOSE

Withoutin hors, brig, boit, or yit galay,
To bring yow ouer saiflie, be not afeird –
And not wetand, the campis off your beird."

"I haif mervell," than quod the lytill mous,
"How can thow fleit without fedder or fin?
This rever is sa deip and dangerous,
Me think, that thow suld droun to waid thairin.
Tell me thairfoir, quhat facultie or gin
Thow hes to bring me ouer this watter wan?"
That to declair the paddok thus began:

"With my twa feit," quod scho, "lukkin and braid,
In steid off airis, I row the streme full styll,
And thocht the brym be perrillous to waid,
Baith to, and fra, I swyme at my awin will,
I may not droun, for quhy my oppin gill
Devoidis ay the watter I resaiff.
Thairfoir to droun forsuith na dreid I haif."

The mous beheld unto hir fronsit face,
Hir runkillit cheikis, and hir lippis syde,
Hir hingand browis, and hir voce sa hace,
Hir loggerand leggis, and hir harsky hyde.
Scho ran abak, and on the paddok cryde:
"Giff I can ony skill off phisnomy,
Thow hes sumpart off falset, and invy.

yit galay: even galley   campis: whiskers   wed: wade   gin: device   wan: dark
lukkin: webbed   airis: oars   full styll: calmly   for quhy: because   devoidis: empties
resaiff: take in   syde: wide   hace: hoarse   loggerand: gangly   harsky: rough
sumpart: some portion   falset: falsehood   invy: malice

The Smoky Smirr o Rain

"For clerkis sayis, the inclinatioun
Off mannis thocht proceidis commounly
Efter the corporall complexioun,
To gude or evill, as nature will apply:
Ane thrawart will, ane thrawin phisnomy.
The auld proverb is witnes off this *lorum*:
Distortum vultum sequitur distortio morum."

"Na," quod the taid, "that proverb is not trew,
For fair thingis oftymis ar fund in faikin.
The blaberyis, thocht thay be sad off hew,
Ar gadderit up quhen primeros is forsakin.
The face may faill to be the hartis takin;
Thairfoir I find this scripture in all place:
Thow suld not juge ane man efter his face.

"Thocht I unhailsum be to luke upon,
I have na wyt quhy suld I lakkit be.
Wer I als fair as jolie Absolon,
I am no causer off that grit beutie.
This difference in forme, and qualitie,
Almychtie God hes causit Dame Nature
To prent, and set in everilk creature.

"Off sum the face may be full flurischand,
Off silkin toung and cheir rycht amorous,
With mynd inconstant, fals, and variand,
Full off desait, and menis cautelous."
"Let be thy preiching," quod the hungrie mous,
"And be quhat craft thow gar me understand,
That thow wald gyde me to yone yonder land."

thrawart: perverse thrawn: twisted lorum: advice faikin: deceitful
blaberyis: blaeberries takin: token wyt: knowledge lakkit: despised
variand: unstable desait: deceit menis cautelous: treacherous ways gar: make

"Thow wait," quod scho, "ane bodie that hes neid
To help thame self, suld mony wayis cast.
Thairfoir ga tak ane doubill twynit threid,
And bind thy leg to myne with knottis fast.
I sall thee leir to swym – be not agast –
Als weill as I." "As thow!" than quod the mous.
"To preif that play, it wer ouer perrillous.

"Suld I be bund, and fast, quhar I am fre,
In hoip off help? Na, than I schrew us baith,
For I mycht lois baith lyfe and libertie.
Giff it wer sa, quha suld amend the skaith,
Bot gif thow sweir to me the murthour aith,
But fraud, or gyle, to bring me ouer this flude,
But hurt, or harme." "In faith," quod scho, "I dude."

Scho goikit up, and to the hevin can cry:
"O Juppiter, off nature god and king,
I mak ane aith trewlie to thee, that I
This lytill mous sall ouer this watter bring."
This aith wes maid; the mous but persaving
The fals ingyne of this foull carpand pad,
Tuke threid, and band hir leg, as scho hir bade.

Than, fute for fute, thay lap baith in the brym,
Bot in thair myndis thay wer rycht different.
The mous thocht na thing, bot to fleit and swym:
The paddok for to droun set hir intent.
Quhen thay in midwart off the streme wer went,
With all hir force the paddok preissit doun,
And thocht the mous without mercie to droun.

wait: know   leir: teach   to preif that play: to try that game   schrew: curse   skaith: harm
murthour aith: murder-oath   but: without   dude: do   goikit: stared blankly
but persaving: without seeing   ingyne: intent   carpand pad: eloquent toad   lap: leapt

The Smoky Smirr o Rain

Persavand this, the mous on hir can cry:
"Tratour to God, and manesworne unto me!
Thow swore the murthour aith richt now, that I,
But hurt, or harme, suld ferryit be and fre."
And quhen scho saw thair wes bot do or de,
Scho bowtit up and forsit hir to swym,
And preissit upon the taiddis bak to clym.

The dreid of deith hir strenthis gart incres,
And forcit hir defend with mycht and mane.
The mous upwart, the paddok doun can pres:
Quhyle to, quhyle fra, quhyle doukit up agane,
This selie mous plungit in to grit pane,
Gan fecht als lang as breith wes in hir breist,
Till at the last, scho cryit for ane preist.

Fechtand thusgait, the gled sat on ane twist,
And to this wretchit battell tuke gude heid.
And with ane wisk, or owthir off thame wist,
He claucht his cluke betuix thame in the threid;
Syne to the land he flew with thame gude speid,
Fane off that fang, pypand with mony pew:
Syne lowsit thame, and baith but pietie slew.

Syne bowellit thame, that boucheour with his bill,
And bellieflaucht full fettislie thame fled.
Bot all thair esche wald scant be half ane fill,
And guttis als, unto that gredie gled.
Off thair debait, thus quhen I hard outred,

bowtit: bolted   forsit hir: forced herself   gart: made   fechtand thusgait: fighting thus
gled: kite   twist: branch   or owther off thame wist: before either of them knew
cluke: claw   fane off that fang: happy with that plunder   but pietie: without pity
bowellit: disembowelled   bellieflaucht full fettislie them fled: elegantly flayed them skin
over head   ane fill: a meal

MOOSE

He tuke his flicht, and ouer the feildis flaw.
Giff this be trew, speir ye at thame that saw.

Moralitas
My brother, gif thow will tak advertence,
Be this fabill thow may persave and see
It passis far all kynd of pestilence,
Ane wickit mynd with wordis fair and slee.
Be war thairfore, with quhome thow fallowis thee.
For thow wer better beir of stane the barrow,
Or sweitand dig and delf quhill thow may dree,
Than to be matchit with ane wickit marrow.

Ane fals intent under ane fair pretence
Hes causit mony innocent for to dee.
Grit folie is to gif ouer sone credence
To all that speiks fairlie unto thee.
Ane silkin toung, ane hart of crueltie,
Smytis more sore, than ony schot of arrow.
Brother, gif thow be wyse, I reid thee flee
To matche thee with ane thrawart fenyeit marrow.

I warne thee als, it is grit nekligence
To bind thee fast, quhair thow wes frank and fre.
Fra thow be bund, thow may mak na defence
To saif thy lyfe, nor yit thy libertie.
This simpill counsall, brother, tak at me,
And it to cun perqueir, see thow not tarrow:
Better but stryfe to leif allane in lee

speir: ask   advertence: heed   slee: sly   fallowis: make friends   dree: suffer
marrow: companion   ouer sone: too soon   reid thee flee: advise you to avoid
fenyeit: deceiving   frank: independent   fra: once   cun perqueir: memorise
thoroughly   but stryfe: without strife   leif allane in lee: live alone in peace

The Smoky Smirr o Rain

Than to be matchit with ane wickit marrow.
This hald in mynd; rycht more I sall thee tell,
Quhair by thir beistis may be figurate:
The paddok, usand in the flude to dwell,
Is mannis bodie, swymand air and late
In to this warld with cairis implicate;
Now hie, now law, quhylis plungit up, quhylis doun,
Ay in perrell, and reddie for to droun;

Now dolorus, now blyth, as bird on breir:
Now in fredome, now wardit in distres;
Now haill and sound, now deid and brocht on beir;
Now pure as Job, now rowand in riches;
Now gounis gay, now brats laid in pres;
Now full as fische, now hungrie as ane hound;
Now on the quheill, now wappit to the ground.

This lytill mous, heir knit thus be the schyn,
The saull of man betakin may in deid;
Bundin, and fra the bodie may not twyn,
Quhill cruell deith cum brek of lyfe the threid;
The quhilk to droun suld ever stand in dreid
Of carnall lust be the suggestioun,
Quhilk drawis ay the saull, and druggis doun.

The watter is the warld, ay welterand,
With mony wall of tribulatioun,
In quhilk the saull and bodye wer steirrand,
Standand rycht different in thair opinioun:
The saull upwart, the body precis doun:

air: early implicate: engrossed wardit: imprisoned pure: poor rowand: rolling
brats: rags pres: cupboard quheill: wheel wappit: dashed knit: bound shyn: leg
betakin: signify twyn: separate drawis: tempts druggis: drags
welterand: turbulent wall: deep steirrand: moving opinioun: aim

MOOSE

The saull rycht fane wald be brocht ouer, I wis,
Out of this warld, into the hevinnis blis.

The gled is deith, that cummis suddandlie
As dois ane theif, and cuttis sone the battall.
Be vigilant thairfoir, and ay reddie,
For mannis lyfe is brukill, and ay mortall.
My freind thairfoir, mak thee ane strang castell
Of gud deidis, for deith will thee assay,
Thow wait not quhen, evin, morrow, or midday.

Adew, my friend, and gif that ony speiris
Of this fabill, sa schortlie I conclude,
Say thow, I left the laif unto the freiris,
To mak exempill or similitude.
Now Christ, for us that deit on the Rude,
Of saull and lyfe, as thow art Salviour:
Grant us till pas in till ane blissit hour.

Robert Henryson

cuttis sone: cuts short   brukill: fragile   assay: attack   wait: know   laif: remainder
Rude: Cross   pas: die

LOVE (II)

Luve

I Corinthians 13

Gin I speak wi the tungs o men an angels, but hae nae luve i my hairt, I am no nane better nor dunnerin bress or a rínging cymbal. Gin I hae the gift o prophecie, an am acquent wi the saicret mind o God, an ken aathing ither at man may ken, an gin I hae siccan faith as can flit the hills frae their larachs – gin I hae aa that, but hae nae luve i my hairt, I am nocht. Gin I skail aa my guids an graith in awmous, an gin I gíe up my bodie tae be brunt in aiss – gin I een dae that, but hae nae luve i my hairt, I am nane the better o it.

Luve is pâtientfu; luve is couthie an kind; luve is nane jailous; nane sprosie; nane bowdent wi pride; nane mislaired; nane hame-drauchtit; nane toustie. Luve keeps nae nickstick o the wrangs it drees; finnds nae pleisur i the ill wark o ithers; is ey liftit up whan truith dings líes; kens ey tae keep a caum souch; is ey sweired tae misdout; ey howps the best; ey bides the warst.

Luve will ne'er fail. Prophecies, they s' een be by wi; tungs, they s' een devaul; knawledge, it s' een be by wi. Aa our knawledge is hauflin; aa our prophesíein is hauflin; but whan the perfyte is comed, the onperfyte will be by wi. In my bairn days, I hed the speech o a bairn, the mind o a bairn, the thochts o a bairn, but nou at I am grown

LOVE (II)

manmuckle, I am throu wi aathing bairnlie. Nou we ar like luikin in a mirror an seein aathing athraw, but than we s' luik aathing braid i the face. Nou I ken aathing hauflinsweys, but than I will ken aathing as weill as God kens me.

In smaa: there is three things bides for ey: faith, howp, luve. But the grytest o the three is luve.

The New Testament, translated by William Laughton Lorimer

gin: if   dunnerin: thundering, clashing   siccan: such   flit: shift
larachs: foundations   skail: pour out   graith: belongings   awmous: alms, charity
brunt in aiss: burnt to ashes   couthie: warm, welcoming   sprosie: boastful
bowdent: swollen up   mislaired: misguided   hame-drauchtit: selfish
toustie: irritable   nickstick: tally   drees: suffers   ey: always   dings: strikes down
keep a caum souch: keep quiet, hold one's tongue   sweired tae misdout: reluctant to
disbelieve   howps: hopes   bides: endures   s' een: shall eventually   be by wi: be over
devaul: cease   hauflin: half-grown, immature   perfyte: perfect
manmuckle: man-sized   athraw: awry   in smaa: in short

The Tryst

O luely, luely, cam she in
And luely she lay doun:
I kent her be her caller lips
And her breists sae sma' and roun'.

A' thru the nicht we spak nae word
Nor sinder'd bane frae bane:
A' thru the nicht I heard her hert
Gang soundin' wi my ain.

It was about the waukrife hour
Whan cocks begin tae craw
That she smool'd saftly thru the mirk
Afore the day wud daw.

Sae luely, luely, cam she in
Sae luely was she gaen
And wi' her a' my simmer days
Like they had never been.

William Soutar

luely: softly caller: fresh, cool sinder'd: parted, sundered waukrife: waking
smool'd: slipped away mirk: dark daw: dawn

Shy Geordie

Up the Noran Water
In by Inglismaddy,
Annie's got a bairnie
That hasna got a daddy.
Some say it's Tammas's,
An' some say it's Chay's:
An' naebody expec'it it,
Wi' Annie's quiet ways.

Up the Noran Water
The bonny little mannie
Is dandled an' cuddled close
By Inglismaddy's Annie.
Wha the bairnie's daddy is
The lassie never says;
But some think it's Tammas's,
An' some think it's Chay's.

Up the Noran Water
The country folk are kind;
An' wha the bairnie's daddy is
They dinna muckle mind.
But oh! the bairn at Annie's breist,
The love in Annie's ee –
They mak me wish wi' a' my micht
The lucky lad was me!

Helen Cruickshank

Empty Vessel

I met ayont the cairney
A lass wi' tousie hair
Singin' till a bairnie
That was nae langer there.

Wunds wi' warlds to swing
Dinna sing sae sweet.
The licht that bends owre a'thing
Is less ta'en up wi't.
                    Hugh MacDiarmid

FREEDOM

Fredome

A! Fredome is a noble thing!
Fredome mayss man to haiff liking.
Fredome all solace to man giffis:
He levys at ess that frely levys.
A noble hart may haiff nane ess,
Na ellys nocht that may him pless,
Gyff fredome failyhe; for fre liking
Is yharnyt our all othir thing.
Na he, that ay hass levyt fre,
May nocht knaw weill the propyrte,
The angyr na the wrechyt dome,
That is couplyt to foule thyrldome.
Bot gyff he had assayit it,
Than all perquer he suld it wyt,
And suld think fredome mar to pryss
Than all the gold in warld that is.

John Barbour, The Brus, Book I

mayss: makes, causes   liking: liberty of will   ess: ease   na ellys nocht: nor anything
else   gyff: if   failyhe: fails   yharnyt: desired   dome: doom   thyrldome: slavery
perquer: thoroughly   wyt: know   pryss: prize

Hypocrisy in Foreign Policy

It is surprisin' hoo mony folk there are in this world wha think that fortune uses them badly if they haena "a' the butter on their ain side o' the plate". Not content wi' a fair share o' "the good the gods provide them", they wad hae baith their ain an' ither folk's portions likewise, utterly oblivious apparently, o' the fact that "a' is nae pairt". An' when they find themsel's arrested in their career o' acquisitiveness by the legal barriers happily ereckit by society for safeguardin' the interests o' the general community, they hae the barefaced impudence to set themsel's doon as much injured individuals. Their governin' principle is pure selfishness. If sae be that they themsel's are made a' richt they carena a fig hoo mony o' their fellow-mortals are ruined in the process. Their e'e is single, terribly single; but, alas! it never gets the length o' glowerin' ayont the brig o' their ain noses…

This vicious habit o' cryin' murder withoot sufficient cause is not confined to individuals, but is equally rampant amang mankind in their corporate an' national capacity. No to gang far frae hame, I could point oot a nation that has of late had a lang spell at cryin' murder although it was patent to everybody wi' an unprejudiced e'e that the complainant was the only pairty that showed ony disposition to shed bluid. Oor present rulers, wha hae been, in plain terms, a curse not only to this country, but to the haill warld for the by-past five or sax years, hae been, if ye tak' their word for't, sair, sair haudden doon by thae ruffians o' Afghans an' Zulus, an' yet the curious thing is, they've aye managed to be uppermost. There was the late Shere Ali, for example, he was a most ootrageous tyke, it wad seem, wha was constantly plottin' the ruin o' oor Indian Empire. Lord Lytton cried murder; oor rulers at hame re-echoed the cry; an' the result was that, although the Afghan ruler was doin' us nae harm whatsomever, he was huntit to death, an' his son an' successor robbit o' a big slice o' his dominations. I dinnae wonder a bit that the Khans has kickit up a row aboot the peace of Gandamak and murdered the members o' the Embassy. The victims are to be pitied, but them wha sent them to

Cabul are sair to blame. We had nae business to meddle wi' the Afghans ava.

Then there was Cetewayo, King of the Zulus, wha had the misfortune to be hauntit wi' a desire, laudable enough frae his point of view, to imitate his betters in the direction o' defendin' his ain kraal an' "keepin' the croon o' the causey". He was anither object o' terror an' envy to the wiseacres wham Providence, for wise reasons nae doot, has suffered for the last five years to misgovern an' bamboozle this afflickit nation. The Zulus werena seekin' to interfere wi' us in ony shape or form whatsomever, bein' weel content to "abide in their breeches", or to speak mair truly, to rin aboot within the boonds o' their ain territory wi' nae "breeches" on their stalwart hurdies to speak o'; but most unluckily for the puir Zulus they were strong, brave fellows, wha prized their independence an' had the will an' the means to defend themsel's against their savage neebors at least; an' for thae very insufficient reasons, I must needs say, the murder cry was raised against them, their territory was invadit, their cattle driven aff, their kraals burnt to the grund, an' themsel's murdered. Cetewayo, puir fallow, has been huntit like a paitrick up hill and doon dale, an' noo he is a captive an' aboot to be sent aff like anither Boneyparty to St Helena or some ither prison home equally loathsome to a child of nature like him. I'm richt wae to think o' the Zulu king, for albeit I've nae particular affection for Pagans wha rin aboot withoot breeks, an' keep a score o' wives, yet I like to see a'body gettin fairplay, an' that's what Cetewayo hasna received at oor hands.

Naebody could doot the superiority o' Britain's pooer to that o' Shere Ali or Cetewayo, an' yet although we were "uppermost", we – or rather oor rulers, for the nation wasna consultit on the matter – had the assurance to "cry oot murder, an' let slip the dogs o' war!" Noo, if there was onybody by anither that had guid reason to cry murder it was Shere Ali an' Cetewayo, for it was evident afore a blow had been struck against either o' thae potentates that they were undermost, an' hadna the ghost o' a chance o' ever gettin' uppermost in a contest wi' this country. They micht be able to do us some mischief in a wrestlin' bout, but in the end o' the day they were sure to gang to the grund.

Upon the whole, I've no hesitation in sayin' that it is the quintessence o' meanness, selfishness, cowardliness, an' injustice in nations as well as in individuals to be ever whinin' an' "cryin' oot murder" as if they were sufferin' great wrang, when in reality "they are aye uppermost".

'Tammas Bodkin' (William Duncan Latto),
The People's Journal, 27 September 1879

Auld Robin Gray

When the sheep are in the fauld, and the kye at hame,
And a' the warld to rest are gane,
The waes o' my heart fa' in showers frae my e'e,
While my gudeman lies sound by me.

Young Jamie lo'ed me weel, and sought me for his bride;
But saving a croun he had naething else beside:
To make the croun a pund, young Jamie gaed to sea;
And the croun and the pund were baith for me.

He hadna been awa' a week but only twa,
When my father brak his arm, and the cow was stown awa';
My mother she fell sick, – and my Jamie at the sea –
And auld Robin Gray came a-courtin' me.

My father couldna work, and my mother couldna spin;
I toil'd day and night, but their bread I couldna win;
Auld Rob maintain'd them baith, and wi' tears in his e'e
Said, "Jennie, for their sakes, O, marry me!"

My heart it said nay; I look'd for Jamie back;
But the wind it blew high, and the ship it was a wrack;
His ship it was a wrack – Why didna Jamie dee?
Or why do I live to cry, Wae's me!

My father urged me sair: my mother didna speak;
But she look'd in my face till my heart was like to break;
They gi'ed him my hand, tho' my heart was in the sea;
Sae auld Robin Gray he was gudeman to me.

kye: cattle gudeman: husband stown: stolen wrack: wreck

The Smoky Smirr o Rain

I hadna been a wife a week but only four,
When mournfu' as I sat on the stane at the door,
I saw my Jamie's wraith, – for I couldna think it he,
Till he said, "I'm come hame to marry thee."

O sair, sair did we greet, and muckle did we say;
We took but ae kiss, and we tore ourselves away:
I wish that I were dead, but I'm no like to dee;
And why was I born to say, Wae's me!

I gang like a ghaist, and I carena to spin;
I daurna think on Jamie, for that wad be a sin;
But I'll do my best a gude wife aye to be,
For auld Robin Gray he is kind unto me.

Song by Lady Anne Lindsay

wraith: apparition

114

For and Against the Union

In this extract from Rob Roy, *set just a few years after the Union of Parliaments of 1707, the Glasgow magistrate Nicol Jarvie is accompanying the narrator, Frank Osbaldistone, deep into Highland territory north of Glasgow, along with Frank's surly manservant Andrew Fairservice.*

Bailie Nicol Jarvie entertained me, as we passed along, with an account of remarkable events which had formerly taken place in the scenes through which we passed. And as he was well acquainted with the ancient history of his district, he saw with the prospective eye of an enlightened patriot, the buds of many of those future advantages, which have only blossomed and ripened within these few years. I remarked also, and with great pleasure, that although a keen Scotchman, and abundantly zealous for the honour of his country, he was disposed to think liberally of the sister kingdom. When Andrew Fairservice (whom, by the way, the Bailie could not abide) chose to impute the accident of one of the horses casting his shoe to the deteriorating influence of the Union, he incurred a severe rebuke from Mr Jarvie.

"Whisht, sir! – whisht! it's ill-scraped tongues like yours that make mischief atween neighbourhoods and nations. There's naething sae gude on this side o' time but it might hae been better, and that may be said o' the Union. Nane were keener against it than the Glasgow folk, wi' their rabblings and their risings, and their mobs, as they ca' them nowadays. But it's an ill wind blaws naebody gude – Let ilka ane roose the ford as they find it – I say, Let Glasgow flourish! whilk is judiciously and elegantly putten round the town's arms, by way of byword. – Now, since St Mungo catched herrings in the Clyde, what was ever like to gar us flourish like the sugar and tobacco trade? Will onybody tell me that, and grumble at the treaty that opened us a road west-awa' yonder?"

Andrew Fairservice was far from acquiescing in these arguments of expedience, and even ventured to enter a grumbling protest, "That it was an unco change to hae Scotland's laws made in England; and that, for his share, he wadna for a' the herring barrels in Glasgow, and a' the tobacco casks to boot, hae gien up the riding o' the Scots Parliament, or sent awa' our crown, and our sword, and our sceptre, and Mons Meg, to be keepit by thae English pock-puddings in the Tower o' Lunnon. What wad Sir William Wallace, or auld Davie Lindsay, hae said to the Union, or them that made it?"

Sir Walter Scott, Rob Roy

roose: praise gar: make Mons Meg: a huge cannon, symbol of Scottish independence, removed to London

The Reid-Hawk

Tae Christ oor Lord

I clicked this morn the day-daw's darlin, the chief o daylicht's
    chiel, a glisk-glintin reid-hawk at his ridin
     O the streekit oot ablow him pirlin lift, an stridin
High there, hoo he pou'd oan the rein o a welterin wing
Sheer upliftit! Then skited aff, aff wi a swurl
    As a skate's blade skliffs roon a bou-bend: the whurl
       an the swushin
    Dinged doon the wund's gurl. My hert in its hidey
Rang for the burdie, the grip an the gree o the thing!

Fine beast, aa fushen an graith, och, lift, pride sheen-feddert, here
    Rax! AND the lowe that braks frae ye noo's twal thoosan
Times bonnier, mair uncanny, my braw chevalier!

    Nae wunner: sair schauchlin gars the ploo sklent doon
The rigs, an ash-grey awmers, och my dear,
    Fa, claw theirsels, an whang reid-gowd aa roon.
          Gerard Manley Hopkins, 'The Windhover',
             translated by James McGonigal

day-daw: dawn   streekit oot: stretched out flat   pirlin: eddying   welterin: rippling
gurl: growl   gree: supremacy   fushen: physical and spiritual energy   graith: armour,
equipment   sheen-feddert: bright-plumed   rax: stretch   lowe: flame
schauchlin: plodding   gars: makes   sklent: shine, also slant   rigs: ploughed land
awmers: embers   whang: open up and spread

The Panther

His sicht is sair o bars that keeps on passin,
sae sair that it can nae mair haud a hing.
It seems the bars maun nummer least a thousan.
Ahint the thousan bars – nae warld for him.

The saft, the sleek an strang faw o his steps
that turns thirsels in totiest o rings
is like a dance o pouer aroun a spot
whaur nou a heavy will is dulled an hings.

Whiles the curtain o his ee, wioot a soun,
will open up –. A pictir gangs in syne
alang the cannie tension o a limb –
an in the hairt, the pictir tynes.

Rainer Maria Rilke, 'Der Panther', translated by Andrew Philip

totiest: tiniest   tynes: loses itself

118

The Freedom Come-All-Ye

Roch the wind in the clear day's dawin,
Blaws the cloods heelster-gowdie ow'r the bay,
But there's mair nor a roch wind blawin
Through the great glen o the warld the day.
It's a thocht that will gar oor rottans,
Aa thae rogues that gang gallus fresh and gay,
Tak the road and seek ither loanins
For their ill ploys tae sport and play.

Nae mair will the bonnie callants
Mairch tae war when oor braggarts crousely craw,
Nor wee weans frae pit-heid and clachan
Mourn the ships sailing doon the Broomielaw.
Broken families in lands we've herriet
Will curse Scotland the Brave nae mair, nae mair.
Black and white, ane til ither mairriet
Mak the vile barracks o their masters bare.

So come all ye at hame wi freedom,
Never heed whit the hoodies croak for doom.
In your hoose aa the bairns o Adam
Can find breid, barley bree and painted room.
When Maclean meets wi's freens in Springburn,
Aa the roses and geans will turn tae bloom,
And a black boy frae yont Nyanga
Dings the fell gallows o the burghers doon.

Song by Hamish Henderson

heelster-gowdie: head over heels   rottans: rats   loanins: pastures   callants: young
fellows   clachan: village   hoodies: hooded crows   barley bree: whisky
Maclean: John Maclean (1879–1923), Clydeside revolutionary   geans: cherry-trees
Nyanga: black township in South Africa, focus of anti-apartheid resistance in 1960s

FOLK

The Wife of Auchtermuchty

In Auchtermuchty there dwelt ane man,
Ane husband, as I heard it tauld,
Wha weil could tipple out a can,
And neither luvit hunger nor cauld.
Whill anis it fell upon a day,
He yokit his pleuch upon the plain;
Gif it be true as I heard say,
The day was foul for wind and rain.

He lousit the pleuch at the landis en',
And draif his oxen hame at even;
When he come in he lookit ben,
And saw the wife baith dry and clean,
And sittand at ane fire beikand bauld,
With ane fat soup as I heard say:
The man being very weet and cauld,
Between thae twa it was na play.

whill anis: till once   lousit: released   beikand: basking

FOLK

Quoth he, "Where is my horses' corn?
My ox has neither hay nor strae;
Dame, ye maun to the pleuch to-morne,
I sall be hussy, gif I may."
"Husband," quod she, "content am I
To tak the pleuch my day about,
Sa ye will rule baith calvis and kye,
And all the house baith in and out.

"Bot sen that ye will hussif-skep ken,
First ye sall sift, and syne sall knead;
And ay as ye gang but and ben,
Luik that the bairnis dryt not the bed.
Ye'se lay ane soft wisp to the kiln,
We haif ane dear farm on our heid;
And ay as ye gang furth and in,
Keep weil the gaislingis fra the gled."

The wife was up richt late at even,
I pray God gife her evil to fare,
She kirn'd the kirn, and scum'd it clean,
And left the gudeman bot the bledoch bare.
Then in the morning up she gat,
And on her hairt laid her disjeune,
She put as meikle in her lap,
As micht haif ser'd them baith at noon.

Sayis, "Jock, will thou be maister of wark,
And thou sall haud and I sall call;
I'se promise thee ane gude new sark,
Either of round claith or of small."

hussy: housewife   hussif-skep: housewifery   dryt: soil   gaislingis: goslings
gled: kite   bledoch: buttermilk   disjeune: breakfast

The Smoky Smirr o Rain

She lousit the oxen aucht or nine,
And hynt ane gadstaff in her hand;
And the gudeman raise eftir syne,
And saw the wife had done command.

And ca'd the gaislingis furth to feed,
There was bot seven-some of them all,
And by there comis the greedy gled,
And lickit up five, left him bot twa.
Then out he ran in all his main,
How sune he heard the gaislingis cry;
Bot than or he come in again,
The calvis brak louse and soukit the kye.

The calvis and kye being met in the loan,
The man ran with ane rung to red;
Than by their comis ane ill-willy cow,
And brodit his buttock whill that it bled.
Than hame he ran to ane rock of tow,
And he sat doun to 'say the spinning;
I trow he loutit owre near the lowe,
Quod he, "This wark has ill beginning."

Than to the kirn that he did stoure,
And jumlit at it whill he swat,
When he had jumlit a full lang hour,
The sorrow crap of butter he gat.
Albeit na butter he could get,
Yit he was cummerit with the kirn,
And syne he het the milk owre het,
And sorrow spark of it wald yirn.

hynt: took   gadstaff: goad stick   ca'd: drove   rung: cudgel   red: sort out
brodit: stabbed   rock of tow: distaff of yarn   loutit: stooped   lowe: flame
jumlit: churned   cummerit: encumbered   yirn: curdle

FOLK

Than ben there come ane greedy sow,
I trow he cun'd her little thank,
And in she shot her meikle mou',
And ay she winkit as she drank.
He cleikit up ane crukit club,
And thocht to hit the sow ane rout;
The twa gaislingis the gled had left,
That straik dang baith their harnis out.

Than he bure kindling to the kiln,
Bot she start all up in ane lowe,
Whatever he heard, whatever he saw,
That day he had na will to mow.
Than he yeid to take up the bairnis,
Thocht to haif fund them fair and clean;
The first that he gat in his armis
Was all bedirten to the een.

The first that he gat in his armis
It was all dirt up to the een.
"The divill cut off their handis," quod he,
"That fild yow all sa fow this strene."
He trailit the foul sheets doun the gait,
Thocht to have washed thame on ane stane;
The burn, was risen grit of spait,
Away frae him the sheets hes tane.

Than up he gat on ane knowe-heid,
On her to cry, on her to shout,
She heard him, and she heard him not,
Bot stoutly steer'd the stottis about.

cun'd: owed   rout: blow   harnis: brains   yeid: went   fow: full
this strene: last night   stottis: oxen

The Smoky Smirr o Rain

She draif the day unto the nicht,
She lousit the pleuch and syne come hame;
She fand all wrang that sould been richt,
I trow the man thocht richt great shame.

Quod he, "My office I forsake
For all the dayis of my life,
For I wald put ane house to wraik,
Had I been twenty dayis gudewife."
Quod she, "Weil mot ye bruik the place,
For truly I will never accep' it."
Quod he, "Fiend fall the liaris face,
Bot yit ye may be blyth to get it."

Than up she gat an meikle rung,
And the gudeman made to the door;
Quod he, "Dame, I sall hald my tongue,
For an we fecht I'll get the waur."
Quod he, "When I forsook my pleuch,
I trow I bot forsook my seill,
And I will to my pleuch again,
For I and this house will never do weil."

Anonymous

mot ye bruik: may you enjoy   an: if   seill: happiness

124

Mary Morison

O Mary, at thy window be,
  It is the wish'd, the trysted hour!
Those smiles and glances let me see,
  That make the miser's treasure poor.
  How blythely wad I bide the stour,
A weary slave frae sun to sun,
  Could I the rich reward secure –
The lovely Mary Morison!

Yestreen, when to the trembling string
  The dance gaed thro' the lighted ha',
To thee my fancy took its wing,
  I sat, but neither heard nor saw:
  Tho' this was fair, and that was braw,
And yon the toast of a' the town,
  I sigh'd, and said amang them a',
"Ye are na Mary Morison."

O Mary, canst thou wreck his peace,
  Wha for thy sake wad gladly die?
Or canst thou break that heart of his
  Whase only faut is loving thee?
  If love for love thou wilt na gie,
At least be pity to me shown:
  A thought ungentle canna be
The thought o' Mary Morison.
                    Song by Robert Burns

bide the stour: bear hardship   yestreen: last night   faut: fault

The Great Ones

1916

Ae morn aside the road frae Bray
  I wrocht my squad to mend the track;
A feck o' sodgers passed that way
  And garred me often straucht my back.

By cam a General on a horse,
  A jinglin' lad on either side.
I gie'd my best salute of course,
  Weel pleased to see sic honest pride.

And syne twae Frenchmen in a cawr –
  Yon are the lads to speel the braes;
They speldered me inch-deep wi' glaur
  And verra near ran ower my taes.

And last the pipes, and at their tail
  Our gaucy lads in martial line.
I stopped my wark and cried them hail,
  And wished them weel for auld lang syne.

   .   .   .   .   .

An auld chap plooin' on the muir
  Ne'er jee'd his heid nor held his han',
But drave his furrow straucht and fair, –
  Thinks I, "But ye're the biggest man."

John Buchan

wrocht: put to work feck: large number garred: made speel: climb
speldered: splattered glaur: mud gaucy: handsome jee'd: turned

On Halloween

Some folk in courts for pleasure sue,
  An' some ransack the theatre:
The airy nymph is won by few;
  She's of so coy a nature.
She shuns the great bedaub'd with lace,
  Intent on rural jokin
An' spite o' breeding, deigns to grace
  A merry Airshire rockin,
                    Sometimes at night.

At Halloween, when fairy sprites
  Perform their mystic gambols,
When ilka witch her neebour greets,
  On their nocturnal rambles;
When elves at midnight-hour are seen,
  Near hollow caverns sportin,
Then lads an' lasses aft convene,
  In hopes to ken their fortune,
                    By freets that night.

At Jennet Reid's not long ago,
  Was held an annual meeting,
Of lasses fair an' fine also,
  With charms the most inviting:
Though it was wat, an' wondrous mirk,
  It stopp'd nae kind intention;
Some sprightly youths, frae Loudoun-kirk,
  Did haste to the convention,
                    Wi' glee that night.

rockin: a gathering of friends and neighbours with rocks (distaffs) and spindles for
an evening of entertainment freets: superstitious charms wat: wet mirk: dark

127

The Smoky Smirr o Rain

The nuts upon a clean hearthstane
   Were plac'd by ane anither,
An' some gat lads, an' some gat nane,
   Just as they bleez'd the gither.
Some sullen cooffs refuse to burn;
   Bad luck can ne'er be mended;
But or they a' had got a turn,
   The pokefu' nits was ended
             Owre soon that night.

A candle on a stick was hung,
   An' ti'd up to the kipple:
Ilk lad an' lass, baith auld an' young,
   Did try to catch the apple;
Which aft, in spite o' a' their care,
   Their furious jaws escaped;
They touch'd it ay, but did nae mair,
   Though greedily they gaped,
             Fu' wide that night.

The dishes then, by joint advice,
   Were plac'd upon the floor;
Some stammer'd on the toom ane thrice,
   In that unlucky hour.
Poor Mall maun to the garret go,
   Nae rays o' comfort meeting;
Because sae aft she's answer'd no,
   She'll spend her days in greeting,
             An' ilka night.

cooffs: fools   or: before   nits: nuts   kipple: roof-beam   toom: empty

FOLK

Poor James sat trembling for his fate;
  He lang had dree'd the worst o't;
Though they had tugg'd and rugg'd till yet,
  To touch the dish he durst not.
The empty bowl, before his eyes,
  Replete with ills appeared;
No man nor maid could make him rise,
  The consequence he feared
          Sae much that night.

Wi' heartsome glee the minutes past,
  Each act to mirth conspired:
The cushion game perform'd at last,
  Was most of all admired.
From Janet's bed a bolster came,
  Nor lad nor lass was missing;
But ilka ane wha caught the same,
  Was pleas'd wi' routh o' kissing,
           Fu' sweet that night.

Soon as they heard the forward clock
  Proclaim 'twas nine, they started,
An' ilka lass took up her rock;
  Reluctantly they parted,
In hopes to meet some other time,
  Exempt from false aspersion;
Nor will they count it any crime,
  To hae sic like diversion
         Some future night.

Janet Little

dree'd: endured durst: dared routh: plenty

Caller Herrin'

Wha'll buy my caller herrin'?
  They're bonnie fish and halesome fairin';
Wha'll buy my caller herrin',
  New drawn frae the Forth?

When ye were sleepin' on your pillows,
  Dream'd ye aught o' our puir fellows,
Darkling as they fac'd the billows,
  A' to fill the woven willows?
        Buy my caller herrin',
        New drawn frae the Forth.

Wha'll buy my caller herrin'?
  They're no brought here without brave darin';
Buy my caller herrin',
  Haul'd through wind and rain.
        Wha'll buy my caller herrin'? etc.

Wha'll buy my caller herrin'?
  Oh, ye may ca' them vulgar farin' –
Wives and mithers, maist despairin',
  Ca' them lives o' men.
        Wha'll buy my caller herrin'? etc.

When the creel o' herrin' passes,
  Ladies, clad in silks and laces,
Gather in their braw pelisses,
  Cast their heads and screw their faces.
        Wha'll buy my caller herrin'? etc.

caller: fresh   fairin': food, fare   pelisses: cloaks

FOLK

Caller herrin's no got lightlie: –
　Ye can trip the spring fu' tightlie;
Spite o' tauntin', flauntin', flingin',
　Gow has set you a' a-singing
　　　　Wha'll buy my caller herrin'? etc.

Neebour wives, now tent my tellin';
　When the bonnie fish ye're sellin',
At ae word be in yere dealin' –
　Truth will stand when a' thing's failin',
　　　　Wha'll buy my caller herrin'?
　　　　　They're bonnie fish and halesome fairin';
　　　　Wha'll buy my caller herrin',
　　　　　New drawn frae the Forth?

Song by Carolina Oliphant, Lady Nairne

Gow: Niel Gow (1727–1817), famous fiddler　tent: heed

At Robert Fergusson's Grave

OCTOBER 1962

Canongait kirkyaird in the failing year
is auld and grey, the wee roseirs are bare,
five gulls leam white agin the dirty air:
why are they here? There's naething for them here.

Why are we here oursels? We gaither near
the grave, Fergussons mainly, quite a fair
turn-out, respectfu, ill at ease, we stare
at daith – there's an address – I canna hear.

Aweill, we staund bareheidit in the haar,
murnin a man that gaed back til the pool
twa-hunner year afore our time. The glaur

that haps his banes glowres back. Strang, present dool
ruggs at my hairt. Lichtlie this gin ye daur:
here Robert Burns knelt and kissed the mool.

Robert Garioch

glaur: mud   haps: covers   dool: sorrow   ruggs: tugs   lichtlie: despise
gin ye daur: if you dare   mool: earth on a grave

132

The Student and the Pawnwife

At the stert o July, in a lang track o byordinar heat, weirin late, a young man cam doon frae the boxroom he took for ludgins on Stolyarni Loan, oot tae the street an, slow like, as if switherin, set aff the gait for the Kokushkin Brig.

He hud happily chanced tae jouk meetin his lanlady on the stair. His boxroom wis set in up aneath the riggin o a high five-flair tenement an mair fit for a press than a chaumer. The lanlady sublettin him the boxroom, wi denners an maid-service, steyed yin flair doon in a separate flat, an every time he wanted oot tae the street he hud tae pass her kitchen wi its transe door staunin open near ayewis upwide tae the stair. An every time, passin by it, the young man wad get a sort o a seik an fleggit sensation that hud him glunchin an burnin wi the shame. Sair in debt tae his lanlady, he wis feart tae meet her.

No that he wis that timorsome or doonhauden, clean the contrar even, but this past while he hud gotten intae a natterie an owerstrung state awfie like heepocondria. Sae resiled intae himsel he wis by noo, sae hauden-awa frae folk, he wad fleg tae meet onybody, no jist the lanlady. Poortith whummelt him, yet o late even thae sair straitent circumstances o his hud ceased tae fash. He wis done wi aw puggle ower his keep; it didna interest him. He wisna at *hert* feart frae nae lanlady, spite o the ploys she wis cleckin again him. But tae be keppit on the stair, tae be deaved wi aw that claik aboot aw kinds o dreich daily-day troke he didna in the least care tae hear, aw the fashious demands for siller, the scauls an the threaps, an tae hae tae jouk, tae wheedle, tae fib – na shairly, far better tae sleek soonlessly doon the stair like a cat an awa, sae as no an be seen.

But the nicht, the dreid o meetin his creditor even pegged him gaun alang the street.

"Makkin a shape at yon, an yet at the same time fleyed wi pish like this!" he thocht wi an unco smue. "Hm... Ay... A man hauds awthing in his loof an awthing skails past his neb jist frae his feartiness... An axiom that!... I'd love tae ken tho, whit is it maist flegs folk aw said? A new step, a new word aw their ain, that's jist whit maist flegs them!… But ach, I'm haverin! Wi aw this haverin tae masel I niver dae naething. Or else, mair like, it's aw this niver daein naething has me haverin tae masel. That'll be me fair learnt tae haver then ower this past month, liggin haill days an nichts in the slack o despond thinkin o… the gowk o Maryland. Sae how am I on ma road noo? Me actually capable o *thon* for real? Seriously? *Thon?* Nut. No serious at aw! It's ainly a fantasy for tae keep me gaun; a toy jist. Ay that's it likely, I'm a wean wi a toy."

On the street the heat wis terrible, an styfie forby, an it wis hoatchin, aw the plaister, scaffoldin, bricks an stour aboot the place, an yon particular simmertide guff sae weel-kent tae thae Peterburg citizens wi nae ony means tae rent a datcha for the season – it aw leathered the young man's far-ower-far shent nerves. The untholeable steuch frae the howfs, sae thrang in that pairt o toun, an the keelies he wis aye chasin intae, steamin, tho it wis a workin nicht, jist pit the crounin straiks tae aw the laithliness an meesery o the pictur. That meenit a look o mortal chaw glent ower the young man's delicate face. It hud tae be said, he wis an uncommon bonnie-lookin cheil, wi stoatin derk een, derk chessie hair, taller than maist, lank an weel-faured. But next meenit he wis back intil his seemin deep brood, or, tae be mair exact, utter toomness o mind as he gaed forrit nae langer tentin his surroondins, ay an nor wis he wantin tae tent them. He murmled words whiles frae yon same habit o haverin tae himsel he hud jist owned. An ainly at thae times wad he jalouse how guddled his thochts were, how sair raddled he wis gettin. This wis his secont day in a raw wi next tae naething tae eat.

His claes wis mankit. Ony ither loun, even the maist ragabash, wad hae thocht black shame tae be seen oot in duds as clattie. Yet in this quarter o toun, claes niver haurlie surprised naebody. Wi the Haymairket sae near, the nummer o borthel hooses aboot, an for the maist pairt aw the force o labourers an tradesfolk thrang in thae central Petersburg closes an vennels, sic heronious characters wis met for ordinar amang the general kirn o humanity it wad be mair surprise tae see a body ferlie at a body. But the young man's sowel by noo wis sae packfou wi ill-hertit canker that forby a (fair youthfu whiles) kittliness, poxy claes in the street wis the least o his vexation. Tae meet freens, howanever, or yin-time comrades, folk he maistly hud nae love tae encoonter, that wad hae been different… Still an aw, whan a drucken keelie that meenit gettin cairtit throu the street in a muckle wain yokit tae a great sture beast o a horse, for why or whaur til wisna jist certain, yawled oot sudden as it drave past, *Eh! Check the Kraut hatman!* pyntin at him square an pittin aw his lungs intae the shout, the young man stapped deid, trummlin, an claucht his hat. It wis a high roond hat, a Zeemmermans,[1] but aw scuffed by this time, aw foostit, wi holes an gairs tae it, brimless, an the haill thing cawed sklent tae a maist uncouthie angle. It wisna an embarrasment tho, but anither fettle awthegither, yin mair akin tae dreid, wis gruppin him.

"I kent it tae!" he mummled donnertly, "I thocht it even! That's whit's worse! How some scabbit detail, a wee footer like this can somewey whummle the haill scheme! Ay, it's far ower kenspeckle, this hat… Acause it's idiotical, that's how!… Claes like mines shairly need a bunnet tae them, ony auld pancake wad likely dae, but no this cleesher! Naebody wears the like, it can be seen a mile an mindit… That's the thing, it wad be mindit later, meanin evidence! For a handlin like this ye need tae pass unkent… Wee footers, wee footers is crucial!… It's aye the wee footer that dings awthing…"

There wisna far left on his road; he even kent the nummer o paces frae his tenement entry: seeven-hunner an thirty exact. He somewey yinst hud coontit them awready in his wannert dwams. No that he hud pit credence on thae dwams o his at first, he wis jist kittlin himsel wi their terrible an yet enteezin gallusness. But noo, a month on, an he hud stertit seein different, an forby aw thae monologues o his geckin himsel for his hen-hertitness an swither, he wis somewey unwittin roon tae thinkin o his "ugsome" widdrim as a splore tae be tried oot, tho he still didna trow it wis for real. An noo here he wis makkin a *trial* o it even. An wi every stramp forrit his kittle wis growin the mair an the mair.

Wi hert quellt an nerves dinnlin, he wis comin up on the maist unco-enormous hoose, yin side staundin ower the stank,[2] the tither frontin Sadovaya Street. It wis a hoose divvied up intae wee flats let oot tae workers o aw kinds – drapers, loaksmiths, kitchen louns, orra Germans, lassies bidin their lane, sma office-clerks an the like. Folks wis aye broostlin oot an in unner its twa ports throu tae its twa coortyairds. Here a three or fower janitors wis aye on duty. The young man fair felt glad niver tae hae met nane o thaim, an he wis in throu the richt-haun pend an ontae the stair, sleekit, afore a sowel hud cleeked his passin. It wis a "pick" stair, dark an narra, but yin he hud awready got tae ken, an he liked it there, bein shuttit in amang thae mirk shaddas whaur even the maist nebbie een were nae danger. "If I'm skeert as this the noo, whit like wad it be gin I wis I here fur the *actual business?*" he thocht mischancily as he come oot at the fowrth flair. At this pynt his road wis hinnert wi furniture-shifters, ex-sodjers, cairryin gear oot frae yin o the lands. He kent awready this wis the apairtment whaur a German faimily bade, a public clerk. "Sae if yon German noo is flittin, that means on this stair, on this fowrth flair landin, for a time at least, it'll ainly be the auld wuman's apairtment occupied. Guid that… For ye niver ken…" he went on thinkin, an he cawed the bell-pou tae the auld wuman's land. The bell gied a dowf tingil, deid fent, mair like it wis made frae tin nor copper. Didna aw sma lands in sic tenements hae a wee bell like yon? He'd forgot its soond awready! An noo its orra jowe seemed tae mind him o somethin – somethin sae sudden veive that… He lowped! His nerves this time wis that jangelt. Efter a still, the door opened a creek. Throu the sma jink the wuman lodger vizzied her caller wi evident misdoot. Nowt could be made oot in the blackness but the glister frae her een. Seein ither bodies wis oot on the landin she got the smeddum tae open wide. The young man stepped inower the threshold tae the daurk lobby sconced aff wi a parteetion frae the pokiest o wee sculleries. The auld wuman stood silent afore him, skellyin him quisitively. She wis a scruntie, wizened auld buddie, upwards o saxty, wi sherp spitefu een, nippit pyntie neb an nae skerf tae her heid. Her fauch, lyart-gettin hair wis drookit wi ile. Roond her craig, thin an lang as a hen's cleuk, cloots were knottit an, wi nae regaird tae the heat, a fur-lined hap, torn an scawed yella wi the years, sweed frae her shooders. The wee wuman wis hoastin an girnin aw the while. The young man maun hae gien her a queer look, for the glent o misdoot flisked throu her een again.

"Raskolnikov, a student… I wis here a month syne," he habbert sudden, wi hauf a bow, mindin tae try an be mair polite.

"I mind it, loun, I mind gey weel ye wis," the auld wuman said oot, distinct, still haudin a gleg ee fixed on his pus.

"An here again, maum… as afore, on the same business…" Raskolnikov gaed on, raither taen aback an a bit pit oot wi this misdoot frae the auld wuman.

"But she's mebbe aye like this an I jist niver seen it last time!" he thocht, wi the cauld creeps.

The auld wuman wis quate a bit, like she wis switherin, syne steppit aside, pynted the door til her chaumer an gied her veesitor scowth tae pass, sayin:

"Ging ben, loun."

The no awfie big chaumer the young man stepped intil, wi its yella wawpaper, geraniums, an cotton curtains at the windaes, wis that moment lit wi the lowe frae the weirin sun. "That means the sun *syne* will leam this wey tae…" wis the antrin thocht flittin throu Raskolnikov's heid. An wi a swift deek, he scanced awthing aboot the room tae note an mind its haill layoot, faur as he wis able. But there wisna muckle o worth. The plenishins, auld an made frae yella widd, includit a sofa wi a muckle widden humphie-back an a sma table afore it, oval in shape, a dresser wi a keekin-gless in the pier atween the windaes, chairs alang the waws, an twa-three tackie picturs in yella frames shawin nabbie German lassies wi birds cupped in haun. An that wis it. In yae coarner brenned a sma ile lamp lit afore an ikon. Awthing wis redd immaculate, flair an plenishins redd tae they were skinklin, awthing skinklin. "Leezaveta's darg," thocht the young man. There wisna a smick o stour in the haill place. "The exact fautlessness ye expect frae nipscart auld widdies," Raskolnikov said tae himsel. An he vizzied wi curiosity the cotton hingin draped owre the door-gap tae the scootie secont chaumer that hud the auld wuman's bed an kist o drawers, tho he'd niver yet keeked ben. Thae twa rooms wis her haill land.

"Fit ye wint?" snashed the auld wuman follaein him in an, as afore, staunin hersel square fornent him sae as tae haud him wi her ee.

"I've brocht a thing for the pawndin. Here…" An frae his pootch he sleeved oot an auld-farrand siller watch wi a globe graived in the lid. The chein wis steel.

"But ye hinna redeemed yer last pledge! Yer month wis up the day afore yisterday."

"I'll pey anither month's interest. Haud patient!"

"It's for me tae decide, loun, gin I haud patient or no. I could sell yer bit the day wis I mindit."

"Hoo muckle for the watch, Alyona Ivaanovna?"

"Eh, ye turn up wi sic trashtrie, loun! It's nae muckle worth. Last time for that ring o yours ye hud twa tickets³ aff me. I could hae got it frae the jowellers splender-new, een an fifty!"

"Gie me fower roubles for it. I'll redeem. It wis ma faither's. I's be gettin siller soon."

"Een rouble fifty, sir, wi interest up front, sir, gin ye like it."

"A rouble fifty!" wauled the young man.

"Suit yersel." An the auld wuman held oot the watch for him. The young man took it an grew sae bealin mad he come near tae stormin oot richt there an then, but got a timeous grup o himsel mindin he hud nae place else tae gaun, an asides, he hud ither purposes in comin.

"Gie me it!" he said, roch.

The auld wuman faiked throu her pootch for keys an jouked ben the cotton hingin tae her secont chaumer. The young man left staundin his lane in the middle o the first listened oot wi interest, ettlin tae jalouse whit wis happenin. He heard a kist-drawer unlock. "Maun be the tap yin…" he soumed. "Meanin she cairries her keys in her richt-haun pootch… Aw yin group on a steel ring… An yae key, the biggest, thrice bigger'n the lave, wi a deep tooth til it, yon canna be tae a drawer jist… Meanin shairly *anither* kist aboot the place, a strangbox mebbe… That

138

wad be a thing. A strangbox aye has a key like yon… But ach, whit a scunnersome business!"

The auld wuman come back.

"Weel, ma loun, interest o ten copecks tae the rouble a month frae een rouble fifty maks fifteen copecks, an for the twa rouble lent ye afore that, ye awe twinty, makkin five an thirty copecks awthegither, leain ye your een rouble fifteen for the waatch. Here, tak it, sir."

"A rouble fufteen jist?"

"Exackly that."

The young man didna argue an took the siller. But he didna mak ony move tae leave, jist stood glowerin at the auld wuman like there wis a thing still needin done or said, but even he didna ken whit, quite…

"Ae day or ither, Alyona Ivaanovna, I mebbe's bring ye something else… siller… bonnie… a cigarette boax… yinst I get it back frae aff…" He got tongue-tackit an fell quate.

"Sae we'll talk syne, loun."

"Guideen, maum… But ye ayewis bide yer lane? I mean, yer sister, she's niver hame wi ye?" he speired, naitural as he could, gaun back oot tae the lobby.

"Fit business o yours is ma sister, loun?"

"Nane in particular. I jist ask. An richt aff ye're… Guideen, Alyona Ivaanovna!"

Raskolnikov gaed oot in a terrible trauchle, an his trauchle jist got the mair an mair magnified. Gaun doon the stair he even stapped a nummer o times as if dung wi some undeemous fell black thocht. At last, wi the street won, he cried oot:

"Ye Gods! Whit a scunner! The haill thing! An am I really… I mean *really* thinkin tae…? Naw! It's gawpit! It's radiculous!" he addit wi smeddum. "Hoo could sic a horror as that come intae ma heid? The keech that maun be stappit in ma hert! That's it abinn aw – keech, laithsome, uggin, uggin!… An for a haill month I wis…"

But nae word or oath could express the state he wis in. The boonless bree o scunner that hud sterted tae beal an hotter in his hert on his road up tae the auld wuman's noo come spleuterin tae the surface, kythed plain, an the fou heat o his corruption sae dumfoonered him he didna ken whit wey tae rin frae it. He gaed howderin up the plainstanes like he wis fou, duntin intae passers-by withoot seein them, an wis roun the corner tae the next vennel afore he won back til his senses. Goavyin aboot the place tae get his bearins, he seen he wis staunin by a stair doon tae a laich howf ablow the causeys. Twa drunks that same meenit come stottin throu its doors, ilk supportin an cursin ither, an speeled up tae the street. Withoot a thocht tae his heid, Raskolnikov wis doon the steps. He hud niver been intae nae drinkin dens o that sort, no afore noo, but his heid wis birlin an his mou, mairower, bleezed wi his drouth. He wis sair needin a cauld beer. Aw the mair clear that noo, seein as he seen his pingle wis doon tae hunger. He sat himsel in a dark, clattie corner at a sma table tackie wi skailt beer, speirt for some yill, an swallied doon his first tassie wi a guid gust. Straucht an haill cam relief. His reasonin cast up. "Gawpit it is!" he said, this time mair wi hope. "Whit wis the need, gettin masel in a steer like that! Physical pine jist! Ae gless o beer an a crust o breid, an see, richt awa – glegger wits, clearer thochts, steiver purpose! Hyech, the Deil can hae't!…" But forby yon last contemptuous gob, he awready looked aboot mair canty, as if lowsed sudden frae some immeisurable birn, an even cast a fain ee at the ither buddies roon the room. But at the same time, tae, he aye hud the fent nark aw this openness tae the guid wis somewey morbid.

Nae mony by noo wis left in the howf. Hard efter the twa drunks passit on the steps hud gane anither core o folk, five or sax laddies aw haudin roon a lass wi a squeezebox. Wi them awa the howf wis quate an scowthie. The ainly yins left wis a man wi the look o a sma shopkeeper sittin ower a beer, hauf-cock but no fou; his freind, a fat, grizzle-beardit puddin o a man in a Siberian carsackie, doverin on a bink, guddled oot his harns, that every noo an then, as if aye in his sloom, wad wauken suddent, stert snappin his fingirs, thraw wide his airms, boonce the tap hauf o his bouk up an doon on the bink withoot risin an, mairower, brak intae some daft sang or ither, ettlin tae mind lines, as like:

FOLK

We daudle oor dams the haill year lang,
We dau-dle oor dam-s a-hai-ll yea-r la-n-g...

Or, waukenin again suddent:

Passin up the Canon's Loan
The lass yon time he dauted on...

But naebody else wis sharin the cantiness; his dour comrade regairdit thae ootbursts even wi a hostile an misdootfu glower. The last customer in the place looked somethin a bit like a retired state clerk. He sat a wee thing apairt afore his joog o vodka, takkin orra soops frae his tassie an gawkin roond at the company. He, tae, hud the look o a man in an awfie steer.

Feodor Dostoevski, Crime and Punishment, translated by Colin Donati

[1] Zeemmermans: a quality Petersburg hat maker of the time
[2] stank: the Ekaterinsky canal (Dostoevski's term indicates its sewer-like condition)
[3] tickets: the old woman's term for roubles

switherin: uncertain riggin: roof press: cupboard chaumer: room
transe door: passage door fleggit: fearful glunchin: frowning
natterie: ill-tempered poortith: poverty whummelt: overwhelmed fash: vex
puggle: exertion cleckin: hatching keppit: caught deaved: harassed claik: chatter
dreich troke: tedious business scauls: scolds threaps: assertions sleek: slink
pegged: drubbed fleyed: frightened smue: a suppressed smile loof: palm
skails: spills haverin: talking nonsense liggin: lying
the gowk o Maryland: the cuckoo of Fairyland styfie: stifling hoatchin: heaving,
crowded datcha: Russian country cottage shent: wasted
untholeable steuch: unbearable stench or vapour thrang: numerous, crowded
keelies: urban workers crounin straiks: final brushstrokes chaw: mortification
glent: passed suddenly stoatin: beautiful weel-faured: well-built
toomness: emptiness tentin: noticing mankit: filthy ragabash: down-at-heel
duds: clothes clattie: dirty kirn: mixture heronious: unconventional
ferlie: marvel canker: bad temper kittliness: touchiness wain: cart sture: sturdy
foostit: mould-ridden gairs: patches cawed sklent: knocked askew
donnertly: stupidly scabbit: mean footer: trifle kenspeckle: conspicuous
cleesher: oversized example dings: destroys yinst: once wannert dwams: confused
daydreams enteezin gallusness: enticing boldness geckin: mocking widdrim: wild
fancy splore: exploit trow: believe stramp: stride dinnlin: tingling

141

The Smoky Smirr o Rain

orra: miscellaneous   broostlin: bustling   cleeked: clocked   nebbie een: inquisitive
eyes   skeert: nervous   mischancily: unluckily   hinnert: obstructed   cawed: pulled
dowf: dull   orra jowe: peculiar peal   vizzied: scrutinised   misdoot: suspicion
smeddum: courage   sconced: screened   skellyin: squinting   scruntie: stunted
fauch: pale-red   lyart-gettin: turning grey-streaked   craig: neck   cleuk: claw
cloots: rags   hap: wrap, shawl   scawed: faded   sweed: swung   hoastin: coughing
girnin: grimacing   flisked: flashed   habbert: stammered   gleg: sharp   pus: face
scowth: room   lowe: glow   antrin: chance   deek: look   plenishins: furnishings
darg: labour   nabbie: well-to-do   redd: tidied up   skinklin: sparkling
smick o stour: speck of dust   nipscart: niggardly   widdies: widows (pun with
hanging-rope)   scootie: mean, small   kist: chest   snashed: snapped
fornent: in front of   auld-farrand: old-fashioned   I'se: I shall   faiked: dug
ettlin tae jalouse: trying to guess   soumed: surmised   the lave: the rest
dung: struck   undeemous: incalculable   gawpit: stupid   keech: filth, shit
boonless: unbounded   bree: liquid concoction   kythed: showed
dumfoonered: dumbfounded   howderin: pushing   goavyin: gazing   laich howf
ablow the causeys: low pub below street-level   speeled up: ascended   pingle: turmoil
yill: ale   tassie: glass   gust: relish   cast up: grew clear (as of the weather)
glegger: keener   steiver: firmer   canty: cheerful   lowsed: released   birn: burden
fain: fond   nark: niggly foreboding   scowthie: spacious   carsackie: workman's apron
doverin on a bink: dozing on a bench   guddled oot his harns: drunk out of his skull
sloom: slumber   bouk: bulk   orra soops: occasional sips   gawkin: staring
steer: agitation

HAME

The Bonnie Broukit Bairn

FOR PEGGY

Mars is braw in crammasy,
Venus in a green silk goun,
The auld mune shak's her gowden feathers,
Their starry talk's a wheen o' blethers,
Nane for thee a thochtie sparin',
Earth, thou bonnie broukit bairn!
– *But greet, an' in your tears ye'll droun*
The haill clanjamfrie!

                    Hugh MacDiarmid

crammasy: crimson   gowden: golden   a wheen o' blethers: a lot of nonsense
broukit: begrimed   clanjamfrie: crowd, collection

143

Sang oda Post War Exiles

Harry listen Harry please
We canna bide nae langer.
Da aert is tired man, sae is du,
We'll sell da sheep, we'll sell da coo.
Gie up da lease.

Come man awa
For we maun ging
Across da Soond o Papa

Harry listen Harry please
Du'll git a better job.
Somethin maer reglar, wi reglar pey,
Dis croftin wark, hit'll never pey.
Life wid be aesier.

Come man awa
For we maun ging
Tae a cooncilhoose in Scallwa.

Meg Meg, du canna ken,
Du døsna understaand.
Foo muckle dis is pairt o me,
Dis affbidden bit o pøramus laand.
Hit gies me strent.
Hit gies me stimna.

aert: earth du: you ging: go affbidden: forbidding, off-putting pøramus: frail,
wretched strent: strength stimna: stamina

144

HAME

Harry listen Harry please
I canna feel da sam as de.
Du wis boarn here, lived here alwys.
I wisna boarn t'loneliness.
Hit isna fair.

Come man awa
For we maun ging
Across da Soond fae Papa.

Harry listen Harry please
I'm tired o dis warsel.
I'm tired o kerryin watter fae da waal.
I'm tired o da Tilley an dis lonly daal.
I'm young yit, Harry.

Come man awa
For we maun ging
Der nothin left in Papa.

Harry listen Harry please
I canna bide nae langer.
Wi nae neeborhoose I'll never settle,
Nothin fir news bit a singing kettle,
Nae cheery face.

Come noo awa
For I maun ging,
I'm hed enyoch o Papa.

warsel: struggle   waal: well   daal: glen

The Smoky Smirr o Rain

Dat last faent glisk o wir croft be da shore,
Aa quhite-washed clean, brukk gien fae da door,
I'll never forgit it, I canna forgit it,
For days an nichts hit's wi me alaek
Dat last rummlt stane I touched o wir daek,
Dat last faent glisk as I pulled on da oar,
Aa quhite-washed clean, brukk gien fae da door.
Hit med me greet t'see it.

Robert Alan Jamieson

glisk: glimpse   brukk: rubbish   alaek: alike   rummlt: loose   daek: dyke, wall

Will Ye No Come Back Again?

Bonnie Charlie's now awa,
　Safely owre the friendly main;
Mony a heart will break in twa,
　Should he ne'er come back again.

　　Will ye no come back again?
　　　Will ye no come back again?
　　Better lo'ed ye canna be.
　　　Will ye no come back again?

Ye trusted in your Hieland men,
　They trusted you, dear Charlie;
They kent you hiding in the glen,
　Your cleadin was but barely.

English bribes were a' in vain,
　An' e'en though puirer we may be;
Siller canna buy the heart
　That beats aye for thine and thee.

We watched thee in the gloaming hour,
　We watched thee in the morning grey;
Tho' thirty thousand pounds they'd gi'e,
　Oh there is nane that wad betray!

Sweet's the laverock's note and lang,
　Lilting wildly up the glen;
But aye to me he sings ae sang,
　Will ye no come back again?
　　　　　Song by Carolina Oliphant, Lady Nairne

cleadin: clothing, cover　gloaming: twilight　laverock: lark

On Leave

1916

I had auchteen months o' the war,
  Steel and pouther and reek,
Fitsore, weary and wauf, –
  Syne I got hame for a week.

Daft-like I entered the toun,
  I scarcely kenned for my ain.
I sleepit twae days in my bed,
  The third I buried my wean.

The wife sat greetin' at hame,
  While I wandered oot to the hill,
My hert as cauld as a stane,
  But my heid gaun roond like a mill.

I wasna the man I had been, –
  Juist a gangrel dozin' in fits; –
The pin had faun oot o' the warld,
And I doddered amang the bits.

I clamb to the Lammerlaw
  And sat me doun on the cairn; –
The best o' my freends were deid,
  And noo I had buried my bairn; –

pouther: powder   reek: smoke   wauf: ragged   gangrel: vagrant   doddered: pottered

HAME

The stink o' the gas in my nose,
  The colour o' bluid in my ee,
And the biddin' o' Hell in my lug
  To curse my Maker and dee.

But up in that gloamin' hour,
  On the heather and thymy sod,
Wi' the sun gaun doun in the Wast
  I made my peace wi' God…

.   .   .   .   .

I saw a thoosand hills,
  Green and gowd i' the licht,
Roond and backit like sheep,
  Huddle into the nicht.

But I kenned they werena hills,
  But the same as the mounds ye see
Doun by the back o' the line
  Whaur they bury oor lads that dee.

They were juist the same as at Loos
  Whaur we happit Andra and Dave. –
There was naething in life but death,
  And a' the warld was a grave.

A' the hills were graves,
  The graves o' the deid langsyne,
And somewhere oot in the Wast
  Was the grummlin' battle-line.

.   .   .   .   .

The Smoky Smirr o Rain

But up frae the howe o' the glen
  Came the waft o' the simmer een.
The stink gaed oot o' my nose,
  And I sniffed it, caller and clean.

The smell o' the simmer hills,
  Thyme and hinny and heather,
Jeniper, birk and fern,
  Rose in the lown June weather.

It minded me o' auld days,
  When I wandered barefit there,
Guddlin' troot in the burns,
  Howkin' the tod frae his lair.

If a' the hills were graves
  There was peace for the folk aneath
And peace for the folk abune,
  And life in the hert o' death…

          .   .   .   .

Up frae the howe o' the glen
  Cam the murmur o' wells that creep
To swell the heids o' the burns,
  And the kindly voices o' sheep.

And the cry o' the whaup on the wing,
  And a plover seekin' its bield. –
And oot o' my crazy lugs
  Went the din o' the battlefield.

          .   .   .   .

howe: low flat part caller: fresh, cool lown: calm, soft howkin': digging tod: fox
whaup: curlew bield: shelter

HAME

I flang me doun on my knees
  And I prayed as my hert wad break,
And I got my answer sune,
  For oot o' the nicht God spake.

As a man that wauks frae a stound
  And kens but a single thocht,
Oot o' the wind and the nicht
  I got the peace that I socht.

Loos and the Lammerlaw,
  The battle was feucht in baith,
Death was roond and abune,
  But life in the hert o' death.

A' the warld was a grave,
  But the grass on the graves was green,
And the stanes were bields for hames,
  And the laddies played atween.

Kneelin' aside the cairn
  On the heather and thymy sod,
The place I had kenned as a bairn,
  I made my peace wi' God.

                              John Buchan

stound: heavy blow   feucht: fought

Blessed wi the Gift

Fin I wis aboot eleyven year auld, ma Da got yokey feet. Ither faimlies I kent gaed aff an did the Gran Tour o Europe. Bit *we* veesited Culloden, Glencoe, Glenfinnan, Bannockburn, Burns' Cottage an Ireland. The first fower war fur my benefit, nae mair nor cats' licks o veesits, tae gie me a mair roondit education than cud the schule. Noo in this he wis wrang, fur fin I wis wee we heard wir Scots history ilkie wikk on the wireless fur hauf an oor o heich drama. Ae wikk it wis Mary Queen o Scots' heid taen aff in Fotheringay; anither it wis Bibles bein' haived doon in Embro, the neist it wis the puir Macdonalds bein murdered in their hames bi yon coorse breets o Campbells. For a hale day efter yon, nane o us wad spikk tae Norman Campbell, even tho he cam frae Desswid Place an hid niver bin nearer than Torry tae the scene o the crime. Dennis McKenzie telt us a wee rhyme his granda hid gien him aboot the Campbells:

The Campbells are comin, I ken bi the stink
The dirty wee bastards they pished in the sink.

We daunced roon the playgrun singin it, till a teacher cam oot an threatened tae wash wir moos oot wi soap if we warna quate.

Hoosaeiver, the faimly ootin tae Burns' cottage wisna sae much fur my delicht as fur Da's. Twis a hale day awa frae hame, takkin the lang wye there as if Da wis pitten it aff, like a cat playin wi a moose, tae savour it the better fin we landit yonner. Ither fowks hid Das fa played darts, or keepie-uppie. Ither fowks' Das biggit sit-ooteries or bred futterats. Some fowks' Das gaed doon tae the pub or delled their gairdens. My Da sang. Fin he didna sing, he fussled; an fin he didna fussle, he diddled. He wis a kettle-fu o music. Fin he byled wi excitement, or wi ill-natur, or wi wae, or fun, he jist hid tae sing tae let it oot.

We set aff fur Burns' Cottage in the foreneen, traivellin bi Braemar ower tae Glenshee. "The scenic route," Da said. He warmed up as the miles flew alow the wheels, singin *Dark Lochnagar* an *Bonnie Glenshee*; bit finiver we left the north-east ahin, twis *Mary Morison*, *A Reid Reid Rose*, *Ca the Yowes*, an *The Lea Rig* – aa the wye tae Perth. Ootside the toon, he stappit fur a fly cup an a Leith's rowie tae weet his thrapple. Syne he streetched his legs. Frae Perth tae Stirlin it wis *The Banks an Braes o Bonnie Doon* an *Sweet Afton*. Aa thon singin aboot watter mindit him o the need tae makk some, sae he parkit by a widdie, an aabody tummelt ower the dyke an gaed ahin whin busses tae rid thirsels o the fly cup.

Frae Stirlin tae Glesga he wis in patriotic mood. We war treated tae *Scots Wha Hae* an *A Man's a Man fur aa That*. Syne, aa the wye yonder tae Ayr; an, as he drew nearer tae his Burnsian hairt-lan, the hale virr o his tenor throat-strings birred an he swalled his breist like a lintie, flung back his heid an poored oot *John Anderson my Jo* tae the bumbazement o Kilmarnock fowk. The sign tellin us we war throwe Kilmarnock spirkit aff *Ma Big Kilmarnock Bunnet*, bit Burns couldna bide awa lang noo, sae the final fleerish wis *Whistle ower the Lave o't*, syne *Green Growe the Rashes O*, an – in sicht o Burns' ain but an ben – Da's ain espeecial favourite, *Ae Fond Kiss*, which, as aabody jaloused, wad bring tears tae a gless ee.

Inside the Cottage it wis nippit fur space. I jist aboot mynd on trampin roon whitwashed staas far beasts wad hae bin keepit, an luikin at a wee box bed. "Takk a guid lang luik o yon," Da telt me. "Yon's far Scotland's maist weel-kent son sleepit. Aye, an he wisna a toff like maist o the ithers. He cam richt ooto the same kinno craftie as us." I wis gaun tae argy here. Mebbe Da hid cam ooto the same kinno craftie as Burns, bit I anely saa crafties at wikk-eyns fin he drave us frae the toon tae veesit wir kinsfowk. I held ma wheesht tho, fur he wis luikin gey wattery roon the een an I thocht he micht be aboot tae greet. I jaloused that Da's "Us" wis kinno like Queen Victoria's royal *We*.

Like eneuch, Moslems at Mecca or Catholics in the Vatican dae like we did yon day at Ayr. Da luikit awesome-like at Burns' seat, at his table, even at auld orrals o paper he'd screeved on – as if they war haly relics. Like mony anither Scot, he'd bin brocht up on a Nor-East craftie, whas anely buiks war *The Poems o Burns*, *The Pilgrim's Progress* an the Haly Bible. It wis easy kent fit buik wis maist favoured in Da's hame fin *he* wis wee. The anely ither poet he kent bi hairt wis Chairlie Murray, bit we niver haiked oot by Alford wye tae see far Murray bedd – an yon wisna near sae far as Ayr. The anely hill wirth spikkin aboot in the hale o Donside, Da aye said, wis Bennachie, bit Deesiders like oorsels cudna grudge them their ain bittie hill, fur we in Deeside war fair oot the door wi hills.

Gaun hame frae Ayr yon day there wis nae mair singin tho. Faither wis hairse bi yon; forbye he wis tint in his ain thochts, an they bade still in Ayr till we wan ower the Brig o Dee an near ran doon an auld ginger cat. "The carlin catched her by the rump, an left puir Maggie scarce a stump," quo he, nae jeein himsel ae bittie aboot the awfy fleg he'd gien yon peer Aiberdeen puss.

Nae lang efter the ginger cat's narra escape, Da lat ken we'd bi haein "a wee brakk" – a twa-three days tae gae aa roon Ireland. My best friends war gaun tae Europe thon year. "Ireland?" they speired, mystifeed. "Naebody gaes tae Ireland! There's naethin there bit girse an tatties an fyles the antrin leprachaun."

Fitiver there wis in Ireland, Da wisna lettin on. It wis tae be a *Mystery Tour*, he telt us. We'd ken fin we got there.

We didna pack muckle, jist a map an a fyew tinnies meat. Efter aa, Ireland's jist a lowp ower the watter frae Stranraer. Ye cud near spit ower wi a lang eneuch pyocher. We left Aiberdeen in a doonpish, tae *The Bonnie Lass o Bon Accord*, an drave sooth tae a medley o *Bonnie Strathyre*, *The Road an the Miles tae Dundee* an mair – echt or nine hale coonties o diddlin, fusslin, an duntin fingers on the driver's wheel, till we wan tae Stranraer wi a hert-rousin chorus o *Danny Boy*.

Oor trip ower the North Channel wis gey cauld an weet, an the boat sair in need o a lick o peint. Maist o the men wore bunnets an luikit jist the spit o oor kinsmen fa cam inbye on their wye tae the Mart on a Friday; bit, fan they opened their mous, the passengers aa spakk Glesga or Irish. There war beasts aboord an aa, muckle hairy nowt wi lang hornies, in a fair heeze o roarin an guff. Wauchts o sharn an weet strae melled wi the sea breezes an plufferts o fag rikk, fur aabody smokit then like they did in Hollywood.

Fin the ferry dockit at Larne, Da heidit straucht fur Belfast an a B. an B. tae bide in. I mind fine yon placie. We fand a wee-like sink in wir lavvie, nae far up frae the fleer. "Yon Irish fowk maun hae richt fool feet," quo Da, "tae hae a sink at the fleer jist fur yon. Nae doot it's tae dae wi their religion. A winner they dinna hae funcie sinks fur their oxters anaa."

The airt o Belfast we'd landit in wis far frae bein bonnie. Twis fell dreich an orra-luikin an fair clartit forbye wi graffiti, like Glesga in a huff. Da tried a fyew bars o *She is Handsome, She is Pretty, She's the Belle o Belfast City*, bit his hairt jist cudna warm till't, an sae we beddit early. At crack o dawn tho, we war aff tae the Giant's Causeway. Da wis middlin taen bi this ferlie; coontin frae nocht tae ten, he wad hae gien it five. Deed, he said it wis nae better nor the Bullers o Buchan – an forbye we didna hae sic a cairry-on aboot yon in oor towristie buiks.

Gaun throwe Coleraine wi a cauld breeze at wir backs, Da fussled *Beautiful Kitty o Coleraine*, bit we didna spy ony bonnie milkmaids, jist ane auld Irish fairmer chield hurlin peats in a cairtie hauled bi a cuddy that stude in the road an wadna shift. The fairmer seemed near as slaw as the cuddy.

"Caa yon a cuddy?" muttered Da aneth his braith. "We've swacker torties at hame than yon cuddy. It's aa lugs an sweirty." Jist as he wis ettlin tae gang oot an offer tae kick the cuddy, an mebbe the fairmer tae, the beastie shauchled aff as if it kent it wis aboot tae meet its Armageddon. Syne we wheeched throwe Londonderry like a flicht o racin doos, haudin sooth-wast tae Donegal, far we stoppit fur a picnic an swatted a hale heeze o wasps – bit I wis gien ma Setterday's haufcroon tae spen in a wee Donegal shoppie far ma een lichtit on a richt bonnie jet an siller rosary wi a danglin cross – an I hid saxpence ower eftir the deal! Bit Mither's broos gaed doon.

"She's daen thon tae spite me," Mither girned tae Da. Tae Mither, rosaries war neist tae totem poles an Voodoo dalls. Sookin a pandrop,

Da wis mappin the route tae Galway Bay.

"Och, wife," said he, atween sooks, "gin the quine wints tae pit her pennies tae a braw wee necklace, *I* see nae hairm in't."

Mair argy-bargy wis pit aff bi faither thunnerin oot *Galway Bay* in a tummlin linn o sang that threatened tae breenge richt ooto the car an droon the hale o Connaught. At Galway Bay, Mither bocht a heeze o Aran worsit an tuik tae wyvin wi-oot mair adee. If Da wis gaun tae sing an blot *her* oot, she wad set tee wi her wyvin an blot *him* oot. Forbye, the Aran ganzie she wis wyvin fur me wid be scrattier nur ony hair shirt worn bi the auld Mairtyrs. An gin I didna weir it, I'd nivver hear the eyn o't, efter aa her trauchle fur sic a thankless vratch o a dother.

The muckle Atlantic flang itsel ashore at Galway Bay. I got tae ken yon weet place weel eneuch tae catch a richt dose o the cauld there, fur Da widna leave the beach till the sun gaed doon. Then the penny drapped. On this holiday, we werena there tae luik at sites o historical interest; we war veesitin *sang-sites*. Ilka place we'd cam till hid a sang in its honour that Da kent fu weel an hid sang sin he'd bin knee-heich tae a chunty. He wis checkin them aa oot, ane by ane, tae see if the sites matched the sangs – an tae jeedge if they cam up tae his merk. Galway Bay didna tho – ach, twis nane better than Aiberdeen beach, he said, an forbye hidna sic braw ice-cream!

"Far neist noo?" speired Mither, fa wis near up tae hir oxters in the first o her Aran ganzies, tho she'd twa gweed lugs as weel as me, an sud hae kent weel fit wis jist aroon the corner.

The pale moon was rising above the green mountains
The sun was declining beneath the blue sea
When I strayed with my love to the pure crystal fountain
That stands in the beautiful vale o Tralee

Tralee wis rael bonnie, I'll gie ye that, an sae wis the pure crystal fountain he tuik us tae see. Da huntit fur miles till he fand ony pure crystal fountain ava, bit spy ane he did, an rowed up his trooser-eyns tae paiddle in the puil at the boddom o't. Twis as bonnie a watterfaa's

I iver saw. Mither, tho, jist knypit on wi her ganzie. We stoppit again at a wee Irish village an I treetled in tae the shoppie tae buy juice. Bi noo, I wis eesed tae aa the Irish voices aroon me. They war bonnie an sang-like, nae the wye fowk spakk back hame.

"Sure an you'll be from Donegal, with a voice like that on ye," burred the wumman ahint the coonter. I noddit my heid, grabbit the juice an ran. I'd bin smitten wi an Irish lilt! I micht niver spikk the Doric again! Back inno the car, tho, the auld weel-kent spikk cam back at aince.

"Ye war gey lang in yon shoppie," quo Mither nippily. "I jist trust ye hinna bin buyin mair crucifixes tae yersel, that's aa."

Sae on we skelpit, sooth bi east noo, wi Da beltin oot *If ye're Irish, Cam intae the Parlour*, as he negotiated the kittle neuks o the narra Irish roads. Fur eence, we'd nae idea far he wis makkin fur, for the neist selection o choruses war aa American, *Deep in the Hairt o Dixie*, *Swanee River*, an *The Yella Rose o Texas*. I hae nae notion ava fit sparked yon aff, ither than a chiel dawdlin ben the road wi a muckle Stetson on his heid, nae doot ane o yon Irish-Americans hame fur a wikken veesit.

The car jittered tae a stop in the car park o a gran castle nae far frae Cork, in a place caad Blarney.

"We'll jist hae a wauk up yon stairs," Da telt us. "At the tap, ye'll spy the ither hauf o oor Steen o Destiny that we crooned the auld Scots kings on. Yon steen, it's got byordinar pooers. Twis gien tae Cormac McCarthy bi Robert the Bruce in 1314 for helpin him fecht at Bannockburn. An fa-iver kisses the Blarney Steen is blessed wi the gift o the gab. Fa-iver kisses yon steen is gien the pooer tae chairm the verra birdies aff the trees."

As I booed ma heid tae kiss the muckle steen, I winnered foo mony ither gypit quines like masel hid slabbered an slavered aa ower yon daud o rock. Bit I did it onywye. Like washin yer face in the Mey dyew – faith, ye niver kent bit mebbe the Blarney Steen did hae cantrip pooers anaa!

The Smoky Smirr o Rain

We cairriet on north syne, bi wee parks the size o hankies. Irish parks war that wee the coos hid tae back inno them like caurs throwe a gairage door – little better than stable staas they war fur the beasts. At the antrin hoose, a draiggle o dyeuks an hennies wannert in an oot the door as if they hid as muckle richt tae the rin o the place as the fermer fa bedd there. I likit this sibness tae the beasts bit didna ken fit it micht dae fur the trig hoosie inside. The weather wis warm an sunsheeny, the girse sae fresh it could hae been scrapit aff an artist's palette, an Da wis singin *The Forty Shades o Green*.

"D'ye iver hear tell o the twa Irish Rary birds, the big Rary bird an the wee Rary bird?" he speired o a suddenty.

I hid tae awn I hidna.

"Weel, the twa fell oot an hid a fecht, an the wee Irish Rary bird lost. The big Rary bird wis jist aboot tae haive him doon a great heich cliff, fin the wee Rary birdie priggit fur mercy."

"An fit did he say, Da?"

"It's a lang wye tae tip a Rary!" quo Da, kecklin fit tae burst at his ain heeze. Mither jist groaned.

We booked inno a room abeen a snug, at Dun Laoghaire. Rich broon Guinness aawye, an aa ma fowk teetotal. I wis ower young, an Dublin wis ower auld. Fur twa days I treetled back an fore ahin ma fowk as they reenged the Liffey an gawped at the Book o Kells. I got a begeck tho at seein bairns, nae younger than masel, gaun barfit an beggin in the causeys.

The nicht afore we left fur hame, an unco thing cam aboot. I breenged inno oor room an a wee plastic bowlie stuck bi a sooker fell aff fra ahin the door an drappit wi a plap tae the fleer. The wee bowl hid bin full wi haly watter an left fur us bi oor landlady. Weel, I kent weel eneuch I hid dane a truly awfa thing, a maist terrible thing. I hid scaled haly watter blessed bi the priest an I maun gyang tae Hell an birssle like a rasher o bacon furiver fin I deed!

Da saved the day fur me. He tuik the bowlie intae the lavvie, fulled it wi watter frae the tap, spat on the rubber sooker an stuck it back aneth the wee postcaird o the Virgin preened tae the door. "There noo!" quo he. "They'll niver ken!"

Bit *I* kent. Aa yon nicht I wytit fur the Deevil tae cam roarin ower the Liffey wi his deevilicks tae powk me wi their prods. Wytin fur yon veesitation wis near waur nur haein it. Bit the Deevil maun hae bin fell busy yon nicht in Tipperary or Killarney or Kildare, fur he nivver cam tae prod me. An aa yon nicht, up frae the chink o glaisses in the bar, wachtit the latest Dublin tune.

> *The sea, oh, the sea* – chink, charee –
> *Long may it roll between England an me* – chink, chink, charee –
> *Thank God we're surrounded by water!*

There wis nae gettin awa frae watter in Dublin, yon wis plain. "Did youse sleep well?" speired the landlady neist mornin.

"Like a lamb," quo Da.

Bit I hid lain aa nicht like a lamb wytin tae hae its throat cuttit. I wisna richt till Dublin disappeared ooto the wing mirror an the wheels spun north aroon Dundalk bi the Mountains o Mourne.

> *Oh, Mary, this London's a wonderful sight*
> *With the people here workin by day an by night*
> *They don't sow potatoes nor barley nor wheat*
> *But there's gangs o them diggin for gold on the street*
> *At least when I asked them, that's what I was told*
> *So I just took a hand at this diggin for gold*
> *But for all that I found there, I might as well be*
> *Where the Mountains of Mourne sweep down to the sea*

I dinna think I iver heard ma faither sing bonnier. The Irish Sea an its waves clappit time tae him as he sang it, an he sang it richt sad-like, till ye near thocht ye wis yon Irishman, hameseek an lanesome in London, hyne awa frae his ain kintra in the smog an steer aboot the Thames.

The Smoky Smirr o Rain

"Fit's the difference atween the English an the Irish, Da?" I speired. He squared his shooders, an thocht a meenit.

"Ye canna miscaa the English ava," he telt me. "It's watter aff a dyeuk's back. The Irish an the Scots'll haimmer ye if ye takk the laen o them. They hae fire in their bellies."

The Scots an the Irish an the Welsh war aa like dragons then, fiery Celts. The English, bi Da's wye o't, war nae mair nur damp squeebs. *The Mountains o Mourne* wis the last Irish sang he cam oot wi tho, fur his thochts noo war aa fur Scotland aince mair, *Mormond Braes, The Bonnie Lass o Fyvie, The Barnyairds o Delgaty, Leezie Lindsay,* an his favourite abeen aa, *Jock o Hazeldean.* The great grey sea cairriet the notes afore us like a skein o geese:

"Why weep ye by the tide, ladye?
Why weep ye by the tide?
I'll wad ye tae ma youngest son,
An ye shall be his bride;
An ye shall be his bride, ladye,
Sae comely tae be seen" –
Bit aye she lat the tears doon fa
Fur Jock o Hazeldean.

O the hale holiday, yon's fit's stuck wi me doon the years – Da, aa sax fit twa o him, hunkered doon ower the rail o the Irish ferry wi his bunnet rammed hard aboot his lugs tae haud aff the win, twa days o black stibble roon his chin, singin fur the sheer joy o't tae ony passin sea-myaa that wad listen. On the ferry hame, I didna say muckle.

"Ye're affa quaet," quo Da. "Is she nae affa quaet, Mither?"

Bit I wis savin ma spik fur ma friends. They micht hae skied doon the Eiger, or stravaiged aroon Rome an Venice. Bit I hid kissed the Blarney Steen, the ither hauf o oor Steen o Destiny; an noo, like the siller-tongued Irish we'd left ahin on the shores o Erin, I kent, I jist kent it in ma beens, I'd bin blessed wi the gift o the gab!

Sheena Blackhall

HAME

yokey: itchy   sit-ooteries: patios   futterats: ferrets   rowie: roll   virr: vigour
jaloused: suspected   craftie: croft   orrals: scraps   jeein: concerning   girse: grass
fyles: sometimes   antrin: odd   pyocher: puff, spit   nowt: cattle   heeze: crowd,
swarm   guff: stink   sharn: dung   fool: filthy   orra-luikin: shabby-looking
ferlie: marvel   swacker tortoises: livelier tortoises   sweirty: laziness   ettlin: intending
linn: waterfall   wyvin: knitting   vratch: wretch   chunty: piss-pot   knypit: kept
going steadily   treetled: trotted   kittle neuks: tricky corners   gypit: foolish
cantrip: magical   sibness: closeness   trig: neat   priggit: begged   begeck: shock,
disappointment   causeys: streets   scaled: spilled   deevilicks: little devils
hyne awa: far away   miscaa: insult   takk the laen: take advantage   sea-myaa: seagull

The Wild Geese

"O, tell me what was on yer road, ye roarin' norlan' wind
As ye cam' blawin' frae the land that's niver frae my mind?
My feet they trayvel England, but I'm deein' for the north – "
"My man, I heard the siller tides rin up the Firth o' Forth."

"Aye, Wind, I ken them well eneuch, and fine they fa' and rise,
And fain I'd feel the creepin' mist on yonder shore that lies,
But tell me, ere ye passed them by, what saw ye on the way?"
"My man, I rocked the rovin' gulls that sail abune the Tay."

"But saw ye naethin', leein' Wind, afore ye cam' to Fife?
There's muckle lyin' yont the Tay that's mair to me nor life."
"My man, I swept the Angus braes ye haena trod for years – "
"O, Wind forgie a hameless loon that canna see for tears! – "

"And far abune the Angus straths I saw the wild geese flee,
A lang, lang skein o' beatin' wings wi' their heids towards the sea,
And aye their cryin' voices trailed ahint them on the air – "
"O Wind, hae maircy, haud yer wheesht, for I daurna listen mair!"

Violet Jacob

norlan': northern   leein': lying   yont: beyond

Bennygoak

(THE HILL OF THE CUCKOO)

It wis jist a skelp o the muckle furth,
A sklyter o roch grun,
Fin Granfadder's fadder bruke it in
Fae the hedder an the funn.
Granfadder sklatit barn an byre,
Brocht water to the closs,
Pat fail-dykes ben the bare brae face
An a cairt road tull the moss.

Bit wir fadder sottert i the yaard
An skeppit amo bees
An keepit fancy dyeuks an doos
At warna muckle eese.
He bocht aal wizzent horse an kye
An scrimpit muck an seed;
Syne, clocherin wi a craichly hoast,
He dwine't awaa, an dee'd.

Midder's growein aal an deen,
Dyle't an smaa-bookit tee.
Bit stull, she's maister o her wark.
My wark, it maisters me.
Och, I'm tire't o plyterin oot an in
Amo hens an swine an kye,

skelp: sizeable area   muckle furth: great out-of-doors   sklyter: expanse
roch grun: rough ground   hedder: heather   funn: whin   sklatit: slated
fail-dykes: turf walls   moss: place for digging peats   sottert: pottered
skeppit: handled skeps (beehives)   dyeuks an doos: ducks and pigeons   eese: use
scrimpit: stinted   clocherin: coughing repeatedly   craichly hoast: cattarhal cough
dwine't awaa: faded away   dyle't: toilworn   smaa-bookit: shrunken
plyterin: squelching   kye: cattle

The Smoky Smirr o Rain

Kirnin amo brookie pots
An yirnin croods an fye.

I look far ower by Ythanside
To Fyvie's laich, lythe laans,
To Auchterless an Bennachie
An the mist-blue Grampians.
Sair't o the hull o Bennygoak
An scunnert o the ferm,
Gin I bit daar't, gin I bit daar't,
I'd flit the comin term.

It's ull to thole on the first Spring day
Fin the black earth lies in clods,
An the teuchat's wallochin to the ploo
An the snaa-bree rins on the roads.
O, it's ull to thole i the stull hairst gloam,
Fin the lift's a bleeze o fire;
I stan an glower, the pail i ma han,
On ma road oot tull the byre.

Bit it's warst avaa aboot Wutsunday
Fin the nichts are quaet an clear,
An the flooerin curran's by i the yaard
An the green corn's i the breer;
An the bird at gid this hull its name,
Yon bird ye nivver see,
Sits doon i the wid by the water-side
An laachs, laich-in, at me.

kirnin: messing about   brookie: sooty   yirnin: curdling   croods an fye: curds and
whey   laich: low   lythe: sheltered   sair't: fed up   ull to thole: hard to bear
teuchat: lapwing   wallochin: wailing   snaa-bree: slush   hairst gloam: harvest twilight
warst avaa: worst of all   breer: brier   gid: gave   laich-in: quietly

HAME

"Flit, flit, ye feel," says the unco bird,
"There's finer, couthier folk
An kinlier country hine awaa
Fae the hull o Bennygoak."
Bit ma midder's growein aal an deen
An likes her ain fireside.
Twid brak her hert to leave the hull:
It's brakkin mine to bide.

Flora Garry

couthier: kindlier   hine awaa: far away

Schotten

Chalmers, Cochranes, Cockburns, MacLeans, Weirs
left the rain at leith an aberbrothock
met weet snaw in the skagerrak's mooth
an flitted hoose an shore tae the baltic

in hansa's coorts, fairs an merkat touns
where the chapmen unrolled their packs like souls
the guid men o the guilds cauldly glowered,
drave oot the schotten mang the jews an poles

intil poland's hert an centuries' blood
tae kythe as surgeons, teachers, brewsters o beer
reckoners o five year plans – Czamer
Czochranek, Kabrun, Makalienski, Wajer

Matthew Fitt

aberbrothock: old name for Arbroath   skagerrak: the sea between Denmark and
Norway, the entrance to the Baltic   kythe: appear

TRAGIC

Macbeth and Banquo

The samyn tyme happynnit ane wonderful thing. When Macbeth and Banquo were passand to Foress, where King Duncan was for the time, they met be the gate three weird sisters, whilk come to them with elrige clething. The first of them said to Macbeth: "Hail, Thane of Glammis." The second said: "Hail, Thane of Cawder." The thrid said: "Hail, Macbeth, that sall be some time King of Scotland."

Than said Banquo: "What women ye be, whilks been sa unmerciful to me and sa propiciant to my companion, givand him nocht only lands and great rents but als triumphand kingdom, and gives me nocht?"

To this answerit the first of thir witches: "We shaw mair felicities appearing to thee than to him; for thocht he happen to be ane king, yet his empire sall end unhappily, and nane of his blood sall after him succeed. Be contrair, thou sall never be king, but of thee sall come mony kings, whilks with lang and ancient lineage sall rejoice the crown of Scotland." Thir words beand said, they suddenly evanist out of their sicht.

This prophecy and divination was haldin lang in derision to Banquo and Macbeth, for some time Banquo wald call Macbeth "King of Scots" for derision, and he on the samyn manner wald call Banquo "the fader of mony kings".

Nochttheless, because all things come as thir witches divinit, the people traistit them to be weird sisters. Short time after, the Thane of Cawder was disheresit of his lands for certain crimes of lesse majesty, and his lands were given be King Duncan to Macbeth. It happenit the nixt nicht that Banquo and Macbeth were sportand to giddir at their supper. Than said Banquo: "Thou has gotten all that the first twa sisters hecht; restis nocht but the crown, whilk was hecht by the thrid sister."

Macbeth, revolving all things as they were said be thir witches, began to covet the crown, nochttheless, thocht best to abide while he saw his time, and took siccer esperance that the thrid weird suld come to him, as the first twa did afore.

In the meantime King Duncan made his son Malcolm Prince of Cumber, to signify that he suld reign after him; whilk thing was importable displeaser to Macbeth, for it made plain derogation to the thrid weird promittit afore to him be thir weird sisters; nocththeless, thocht, gif King Duncan were slain, he had maist richt to the crown, and nearest of blood thereto, because it was the auld consuetude, when young children were unable to govern the crown, the nearest of their blood suld reign.

Attoure, his wife, impatient of lang tarry, as women are to all things where they set them, gave him great artacion to pursue the samyn, that sho micht be ane queen; calland him oft times feeble cowart and nocht desirous of honors, sen he durst nocht assail the thing with manhede and courage whilk is offerit to him be benevolence of fortune, howbeit sindry others offers them to maist terrible jeopardies, knawing na siccirness to succeed thereafter.

Macbeth, be impulsion of his wife, gaderit all his friends to ane counsel, and went to Inverness, where he slew King Duncan the seven year of his reign. His body was buriet in Elgin, but it was after taken up and buriet in Colnkill amang the ancient sepultures of kings.

Hector Boece, The Chronicles of Scotland,
translated by John Bellenden

weird: fateful, prophetic elrige: bizarre traistit: trusted, believed
disheresit: disinherited hecht: promised siccer esperance: confident hope
weird: prophecy importable: unbearable consuetude: custom attoure: moreover
artacion: incitement Colnkill: Iona

Macbeth and Gruoch

MACBETH Gif, bein dune, 't wis dune, 't wad best be dune
    swippertlie. Gif the act o murthering
    cuid fankle up the eftercome an win
    in ending its ain end – gif ae straik micht
    baith be, an end, the haill adu – than here,
    aye, here, upò this bink an stuil o time,
    we'd wadd the warld tae come. But in thir cases
    we ey bide juidgement here, saebein's we gíe
    but bluidie teaching at, aince lairnt, returns
    tae pey its authors hame. This giff-gaff juistice
    offers the posset in wir pusiont caup
    til our ain lips. Twice owre he's here in traist:
    first, I'm his kinsman an, forby, his líege –
    baith stark contrair the deed; neist, he's my gaist,
    against his murth'rer I suid bar the door,
    no beir the knife mysel. Mairowre, this Duncan
    hes sae doucelie an cannilie exerced
    his pouers, an hes been in his gryte office
    sae wyteless, at his merits will lik aingels
    plea chanter-tung'd against the mortal sin
    o his assassinâtion: Pítie, like
    a scuddie, newborn bairn striddlin the storm,
    or cherubs ridin heiven's unseen coursers,
    will blaw the deed in ilka seein ee,
    an droun the wind wi tears. Nae spur hae I
    tae jag my ettle's sides, but anerlie
    vowtin ambítion, at owrelowps itsel
    an cowps on tither side.
Ben comes Gruoch.] Aye, but what news?
GRUOCH He'll sune hae supped. What gart ye leave the buird?
MACBETH Hes he speirt for me?
GRUOCH Ye ken fine he hes!

MACBETH We'll no progrèss nae further wi this ploy.
    A while back he's honoured me: I've bocht
    frae aa kinkind o fowk gowden opínions
    at I wad raither weir in their first lustre
    nor cast sae sune aside.
GRUOCH Wis the howp fou
    ye happed yoursel wi? Hes it dovert syne?
    Waukens it nou tae goave sae peelie-wallie
    on what wis dune sae freelie? Frae hyne furth
    I'll rackon sic your luve. Are ye afeart
    tae be the same in your ain deed an wirth
    as in desire? Or wad ye chuse tae brouk
    th'opínion ye esteem life's ornament
    an líve a couart in your ain esteem,
    lattin "I daurna" contravail "I sall",
    lik Baudrons, whan she's yaupin tae eat fish,
    but sweir tae wat her luif?
MACBETH Wheesht, wuman, wheesht!
    I daur du aathing it sets a man tae du:
    he's nane at daur du mair.
GRUOCH Then whatna brute
    gart ye acquant me o this enterpríse?
    Whan ye durst du'd, ye ware a man: be mair
    nor ye war than, an syne sae muckle mair
    ye'll be the man. Whan naither time nor place
    compluthert, ye wad mak them baith: but nou
    they've made themsels, an their compluthering
    unmaks ye! I've gíen souk, an weill I mind
    hou tender 't wis tae nurse that bairn at souked me:
    yit wad I, while 't wis blinkin in my face,
    hae hint my pap out o its tuithless gum
    an dungen out its harns, gin I hed sworn
    as you hae sworn!
MACBETH An gin we fail?

GRUOCH We fail.
   But rack your saul up til its híechest stent,
   an we'll no fail. Whan Duncan's aince faan owre –
   whaurtill the suner will his lang day's traivling
   sweetlie balou him – his twa chaumer-chíels
   wi drinking an deray I'll sae conquèss
   at memorie, the keeper o their harns,
   will be asteamin, an whaur their raison howffs
   an emptie veshel. Whan, lik sleepin sous,
   their droukit naitur liggs as gin 't wis deid,
   than what will we twa no can du til Duncan,
   an him thus left ungairdit, what no wyte
   his saun'-bed grumes wi, at will beir the guilt
   o our grand kill?
MACBETH Fesh onlie man-bairns hame,
   for your undauntit spírit suid consave
   nane ither! Will it no be credited,
   whan we've keelmarked wi blude thae dozent twa
   o his ain chaumer, yuisin their ain bítyachs,
   at they hae dune't?
GRUOCH Wha'll daur discredit it,
   sae loud's we'll mak our gríef an outrage rair
   anent his daith?
MACBETH Nou I'm determit, aa
   my strenth I'll bend tae du this fearsome deed.
   Awà, begowk the time wi fairest shaws;
   fauss face maun dern the saicret fauss hairt knaws.

William Shakespeare, Macbeth, Act I, scene 7,
translated by R.L.C. Lorimer

gif: if swippertlic: swiftly bink an stuil: bench and stool giff-gaff: even-handed
posset: poisoned drink wyteless: above reproach scuddie: naked ettle: intent
anerlie: only vowtin: vaulting gart: made buird: table speirt: asked fou: drunk
happed: wrapped dovert: dozed goave: stare hyne furth: henceforth
couart: coward Baudrons: Pussy yaupin: eager sweir: reluctant luif: paw

The Smoky Smirr o Rain

compluthert: coincided dungen: dashed harns: brains faan owre: fallen asleep
balou: lull chaumer-chíels: chamber-servants howffs: resides sous: swine
droukit: drenched liggs: lies wyte: blame saun'-bed grumes: spongy officers
dozent: sleepy bítyachs: daggers begowk: mock fauss: false dern: hide

Hard Times

In this extract from the novel Gillespie, the town of Brieston has been devastated by the failure of the herring fishery, leaving the fisherfolk at the mercy of the ambitious and scheming shopkeeper Gillespie Strang.

Times were so hard that Peter the jeweller closed his shop, and all his clocks were stopped. Every Saturday he used to wind the clock in the tower of the parish church with a big handle, climbing up among the droppings of windy birds… [but] having shut his shop, [he] removed himself from the surging sea of the winds around the spire, and the clock by which Brieston set its time stopped… Men walked beneath it melancholy, bitter, darkened, morose, savage, without sanctuary, without hope. Old sorrows and old feuds were alike buried. People feared one thing – famine; watched one thing – the shop in the Square…

The hour came when the bottom of the meal barrel grinned up in irony in the face of Red Duncan. The men had scraped the very bottom of the Loch with sixty fathom string to the trawls. Heart-breaking work it was dragging them aboard empty from the ooze. No one from the Barracks to the "Ghost" had bought so much as a pennyworth of salt with which to cure the winter's herring, and they were burning heather in the Back Street. Kate of the Left Hand, Red Duncan's wife, went and bowed herself before Gillespie, who stood rubicund before her, with feet firmly planted on the floor. This woman was of one of those unfortunate families in which one commonly looks for signs of trouble. It would not surprise any one at any time to find one of its members running distractedly down the stair, wailing because of a death that had just taken place. Even in their gayest moments an air of fatality or a foreboding of ill hovers over their house. Red Duncan's family was such a target for sorrow. Of him it was a saying, "When the herring's south, Red Duncan's north." Several years previously his house had been burned, and in the conflagration his wife had lost her right hand. Dr Maclean had amputated the charred stump.

Her left hand, as she now stood before Gillespie, was empty.

"I've never wance compleened since I lost my all the night o' the fire. I'm stervin'."

"Thae rats! thae rats!" – it was alleged that rats eating into a box of matches had started the fire – "Is't no' wonderfu' hoo thae beasties can herm us folk, ay?" Gillespie sighed.

"Wull ye gie me wan loaf, Maister Strang? It's no' for mysel'; my weans is greetin' wi' hunger."

"Breed's up the noo a haepenny. That'll be fowerpence."

"I haena seen fowerpence this fortnight."

"I'll aye be glad to sell ye a loaf when ye hae the money."

The woman's eyes were as those of one who is being crucified.

"Wull ye no help me?" she pleaded. "I'll pey ye when I can."

"I hear that story every day ee noo," he answered drily; "folk think I'm the Bank o' Scotland."

A thing too deep for tears was in the woman's face.

"Ye're a hard man," she said. "I've three weans at hame, an' I'm frichted to go back. I hope your weans, Maister Gillespie, will never ken the sufferin' o' mine."

Gillespie put on his spectacles, opened a ledger and shook his head.

"I'm fair weirin' my eyes oot wi' this rakin' through a book o' bad debts. I canna add more to 't or I'll be blin'." He turned his broad shoulder to her. Kate of the Left Hand, with her eyes upon that shoulder, deliberated. The house which had been burned belonged to Gillespie, and was the house in which he had had his first shop. He was found to be so rapacious that no tenant would live in it longer than a single term. It was alleged that he could still find his way into the garret, which he still used as a store, by the road of the trap which he had cut there in the days when he was engaged in Sunday trading. To burn the old shop and get the insurance money was a good way of ridding himself of the task of finding new tenants. Such sinister rumours were afloat at the time the house was burned.

Kate of the Left Hand drew her shawl about her head and her famished eyes swept round the well-stocked shop.

"Gillespie," she said fiercely, "tak' good care the rats dinna eat your matches here. Ye ken wha fired the garret above me when I lost my all? A gey an' big grey rat."

He made a swift gesture of dismissal; "Ye needna open fire. I've heard a' that before."

She flashed round on him.

"It'll dae ye nae hairm to hear it again;" she snatched the shawl from her right shoulder, and exposed the pitiful stump. "Look at it," she cried; "an' ye'll no' gie me a loaf noo. You to say that ye're no Goäd Almighty to feed the sparrows an' the weans. Wait, man, wait, the Almighty's no' done wi' you yet. Ye're good at mekin' a bleeze. Maybe the next bleeze 'ill no please ye sae weel. I'll dree my own weird; but Goäd! I winna dree yours for a' the gold in Californy."

"Is't no' wonderfu'?" Gillespie thought, gazing up at the hams hanging from hooks on the ceiling, "the wy they ding doon a chap as soon as he begins to get on a wee in the world."

Kate of the Left Hand, darting out of the Square round the Bank corner, ran into Topsail Janet.

"What's wrong wi' ye, Kate?"

"The weans are stervin', an' Gillespie put me oot o' the shop."

Topsail pondered with a slack mouth of woe. "There's noäthing I can prig in the hoose. He's lik' a jyler noo-a-days wi' his keys, the misert. Come on," she flashed, "I'll mand ye something." She led Kate of the Left Hand to the ree, which was flanked by Gillespie's stable, whose door Topsail opened. A brown mare with a mangy hide stood in one of the stalls. Topsail lifted the lid of the box leaning against the wall.

"Hold your bratty," which, with a scoop, she filled with beans. "Thon misert," she jerked the scoop in the direction of the Square, "coonts the feed; but the mear can sterve for wan day. It'll be something for the weans to chow. There, noo," she patted Kate maternally; "afore the beans is done, ye'll mand a bite somewhere. Try Lonend for a pickle auld potatoes."

Sulky night fell on the Back Street. The children, pinched and blue-veined, were huddled together asleep; husband and wife sat in stony silence. The last word of Red Duncan had been to rave at the keeper of the destinies of men. Misery like a beak was tearing his heart.

"The morn's Sunday," he said; "the Lord's Day," and lapsed into the silence of hopeless abandonment. The rusty gaping grate had the malevolence of an evil eye, watching these two figures of stone.

A wail came from the floor inside the wooden frame where the bed had been. The cold had wakened the children. The woman lifted her head. She had the appearance of a wild beast protecting its litter. The man eyed her fiercely.

"Noäthin' to pawn?" he croaked.

"Noäthin," she gasped; "an' I'm telt the Jew 'ill tek' nae mair stuff ony wy." His blood turned to water as the fretting wail became louder.

"Mither! oh, mither! gie's a piece; a wee bit; I'm stervin' wi' hunger."

"Wheesht, son, your mither 'ill gie ye some more beans, an' ye'll hae a braw breakfast the morn."

"Will it be toast?"

"Ay, son! toast an' jeely."

She groped to the corner at the window; but the beans were finished. She groaned, and like a gaunt sibyl stretched out her bony hand to the darkening window.

"Goäd in heaven, wull ye no' hae peety?"

The children began to whimper; the mother to sob.

"Katie, my wumman, are ye greetin' at lang an' last?" The sound of his gnashing teeth like a dog's was terrible in the room. In a tone which he had not heard before – the tone of one who is on the brink of the Pit – she answered:

"Greetin'! ay, my breist's burnin', burnin'."

Then Red Duncan put on his cap and went out to steal.

John MacDougall Hay, Gillespie

dree my own weird: endure my own fate   ding doon: knock down   prig: beg
mand: manage   ree: enclosure for storing coal   bratty: apron   a pickle: a few

Jesus and Pilate

MATTHEW 27

An nou Jesus compeared afore the Governor, an Pílate speired at him, "Ar ye the Kíng o Jews?"

An Jesus answert, "Ye hae said it."

Syne the Heid-Priests an Elders deponed again him. But he made nae answer tae their chairges. Pílate than said til him, "Hearna ye aa the chairges thir deponers is makkin again ye?" But no on ae chairge o them aa wad he gíe him an answer, sae at the Governor ferliet sair.

Ilka Passowre the Governor wis wunt tae set free onie ae convìct in jyle at the fowk wantit. This year there wis a certain weill-kent wicht, Jesus BarAbbas, lyin in jyle. Sae whan the fowk wis forgethert, Pílate speired o them, "Whilk o the twa is it your will I suid set free – Jesus BarAbbas, or Jesus caa'd the Christ?" He kent brawlie at it wis for nocht but ill-will at Jesus hed been brocht up afore him.

As he sat on the juidgement-sait, a message wis brocht til him frae his wife: "Hae nocht adae wi that guid, weill-daein man," said she: "I hae haen a frichtsome draim anent him throu the nicht."

Meantime the Heid-Priests an the Elders hed perswaudit the croud tae seek the releash o BarAbbas an the pittin tae deith o Jesus; an sae, whan Pílate speired o them again, "Whilk o the twa is it your will I releash tae ye?" they answert, "BarAbbas!"

"Syne what will I dae wi Jesus caa'd the Christ?" said Pílate.

"Tae the cross wi him!" cried they aa.

"But what ill hes the man dune?" said he.

But they onlie raired out the louder, "Tae the cross wi him!"

Whan Pílate saw he wis comin nae speed, but raither the hubbleshew wis growin waur, he sent for watter an wuish his haunds afore the een o the croud, sayin as he sae did, "I am naither airt nor pairt i this man's deith: on your shuithers be it!" An the haill o the fowk cried back at him, "His bluid be on hiz, an on our childer!" Sae Pílate gae them their wiss an releashed BarAbbas, but Jesus he caused screinge an haundit owre tae be crucified.

The sodgers o the Governor than cairriet him awà tae the Governor's pailace, whaur they gethert the haill regiment about him. Syne first they tirred him an reikit him out in a reid coat, an neist they plettit a wreathe out o thorn-rysses an set it on his heid an pat a reed wand in his richt haund an, gaein doun on their knees afore him, geckit him, sayin, "Hail, Kíng o Jews!" Syne they spat on him an, takkin the wand, yethert him owre the heid wi it. Than, whan they war throu wi their spíel, they tirred the coat aff him an, cleadin him again in his ain claes, cairriet him awà tae crucifíe him.

The New Testament, translated by William Laughton Lorimer

compeared: appeared   speired at: asked   deponed: testified   ferliet sair: wondered greatly   wunt: accustomed   wicht: man   comin nae speed: making no headway hubbleshew: commotion   waur: worse   caused screinge: had flogged
tirred: stripped   reikit: rigged   thorn-rysses: thorn-twigs   geckit: mocked
yethert: struck   spíel: game

Oor Hamlet

There was this king sleeping in his gairden aw alane
When his brither in his ear drapped a wee tait o' henbane.
Then he stole his brither's crown an' his money an' his widow,
But the deid king walked an' goat his son an' said, "Heh, listen, kiddo!
Ah've been killt an' it's your duty to take revenge on Claudius.
Kill him quick an' clean an' show the nation whit a fraud he is."
The boay says, "Right, Ah'll dae it, but Ah'll huvti play it crafty.
So that naeb'dy will suspect me, Ah'll kid oan that Ah'm a daftie."

So wi aw except Horatio – an' he trusts him as a friend –
Hamlet, that's the boay, kids oan he's roon the bend,
An' because he wisnae ready for obligatory killin',
He tried to make the king think he was tuppence aff the shillin':
Took the mickey oot Polonius, treatit poor Ophelia vile,
Tellt Rosencrantz an' Guildenstern that Denmark was a jile.
Then a troupe o' travellin' actors, like 7.84,
Arrived to dae a special wan-night gig in Elsinore.

Hamlet! Hamlet! Loved his mammy!
Hamlet! Hamlet! Acting bammy!
Hamlet! Hamlet! Hesitatin',
Wonders if the ghost's a cheat an' that is how he's waitin'.

Then Hamlet wrote a scene for the players to enact,
While Horatio an' him would watch to see if Claudius cracked.
The play was ca'd 'The Moosetrap' – no the wan that's runnin' noo –
An' sure enough the king walked oot afore the scene was through.
So Hamlet's goat the proof that Claudius gied his da the dose,
The only problem being noo that Claudius knows he knows.
So while Hamlet tells his ma that her new husband's no a fit wan,
Uncle Claud pits oot a contract wi the English king as hit-man.

Then when Hamlet killt Polonius, the concealed corpus delecti
Was the king's excuse to send him for an English hempen neck-tie,

The Smoky Smirr o Rain

Wi Rosencrantz an Guildenstern to make sure he goat there,
But Hamlet jumped the boat an' pit the finger oan that pair.
Meanwhile Laertes heard his da had been stabbed through the arras.
He came racin' back to Elsinore toute-suite, hotfoot fae Paris,
An' Ophelia, wi her da killt by the man she wished to marry –
Eftir sayin' it wi flooers, she comittit hari-kari.

Hamlet! Hamlet! Nae messin'!
Hamlet! Hamlet! Learnt his lesson!
Hamlet! Hamlet! Yorick's crust
Convinced him that men, good or bad, at last must come to dust.

Then Laertes loast the place an' was demandin' retribution,
But the king says, "Keep the heid an' Ah'll provide ye a solution."
An' he arranged a sword-fight for the interestit pairties,
Wi a bluntit sword for Hamlet an' a shairp sword for Laertes.
An' to make things double sure (the auld belt-an'-braces line)
He fixed a poisont sword-tip an' a poisont cup o' wine.
The poisont sword goat Hamlet but Laertes went an' muffed it,
'Cause he goat stabbed hissel, an' he confessed afore he snuffed it.

Then Hamlet's mammy drank the wine an' as her face turnt blue,
Hamlet says, "Ah quite believe the king's a baddy noo.
Incestuous, murderous, damnèd Dane," he said, to be precise,
An' made up for hesitatin' by killin' Claudius twice:
'Cause he stabbed him wi the sword an' forced the wine atween his lips,
Then he cried, "The rest is silence!" That was Hamlet hud his chips.
They fired a volley ower him that shook the topmost rafter,
An' Fortinbras, knee-deep in Danes, lived happy ever after.

Hamlet! Hamlet! Aw the gory!
Hamlet! Hamlet! End of story!
Hamlet! Hamlet! Ah'm away!
If you think this is boring, ye should read the bloody play.
                    Song by Adam McNaughtan (tune: The Mason's Apron)

Sir Patrick Spens

The king sits in Dunfermline town
  Drinking the blude-red wine;
"O whare will I get a skeely skipper
  To sail this new ship of mine?"

O up and spake an eldern knight,
  Sat at the king's right knee,
"Sir Patrick Spens is the best sailor
  That ever sail'd the sea."

Our king has written a braid letter,
  And seal'd it with his hand,
And sent it to Sir Patrick Spens,
  Was walking on the strand.

"To Noroway, to Noroway,
  To Noroway owre the faem;
The king's daughter of Noroway,
  'Tis thou maun bring her hame."

The first word that Sir Patrick read
  Sae loud, loud laughed he;
The neist word that Sir Patrick read
  The tear blinded his ee.

"O wha is this has done this deed
  And tauld the king o' me,
To send us out, at this time o' year,
  To sail upon the sea?

skeely: skilful

181

The Smoky Smirr o Rain

"Be it wind, be it weet, be it hail, be it sleet,
  Our ship must sail the faem;
The king's daughter of Noroway,
  'Tis we must fetch her hame."

They hoysed their sails on Monenday morn
  Wi' a' the speed they may;
They hae landed in Noroway
  Upon a Wodensday.

They hadna been a week, a week,
  In Noroway, but twae,
When that the lords o' Noroway
  Began aloud to say,

"Ye Scottishmen spend a' our king's gowd,
  And a' our Queenis fee."
"Ye lie, ye lie, ye liars loud!
  Fu' loud I hear ye lie;

"For I brought as much white monie
  As gane my men and me,
And I brought a half-fou o' gude red gowd,
  Out owre the sea wi' me.

"Mak ready, mak ready, my merry men a'!
  Our gude ship sails the morn."
"Now ever alack, my master dear,
  I fear a deadly storm!

"I saw the new moon late yestreen
  Wi' the auld moon in her arm;
And if we gang to sea, master,
  I fear we'll come to harm."

half-fou: eighth of a peck (old measure)

TRAGIC

They hadna sail'd a league, a league,
  A league but barely three,
When the lift grew dark, and the wind blew loud,
  And gurly grew the sea

The ankers brak, and the topmasts lap,
  It was sic a deadly storm:
And the waves cam owre the broken ship
  Till a' her sides were torn.

"O whare will I get a gude sailor
  To take my helm in hand,
Till I get up to the tall topmast,
  To see if I can spy land?"

"O here am I, a sailor gude,
  To take the helm in hand,
Till you go up to the tall top-mast,
  But I fear you'll ne'er spy land."

He hadna gane a step, a step,
  A step but barely ane,
When a bout flew out of our goodly ship,
  And the salt sea it cam in.

"Gae fetch a web o' the silken claith,
  Another o' the twine,
And wap them into our ship's side,
  And let nae the sea come in."

They fetch'd a web o' the silken claith,
  Another o' the twine,
And they wapp'd them round that gude ship's side,
  But still the sea cam in.

gurly: rough, stormy bout: bolt wap: wrap

The Smoky Smirr o Rain

O laith, laith were our gude Scots lords
  To weet their cork-heel'd shoon!
But lang or a' the play was play'd
  They wat their hats aboon.

And mony was the feather bed
  That flatter'd on the faem;
And mony was the gude lord's son
  That never mair cam hame.

The ladies wrang their fingers white,
  The maidens tore their hair,
A' for the sake of their true loves,
  For them they'll see nae mair.

O lang, lang may the ladies sit,
  Wi' their fans into their hand,
Before they see Sir Patrick Spens
  Come sailing to the strand!

And lang, lang may the maidens sit
  Wi' their gowd kames in their hair,
A-waiting for their ain dear loves!
  For them they'll see nae mair.

Half-owre, half-owre to Aberdour,
  'Tis fifty fathoms deep;
And there lies gude Sir Patrick Spens,
  Wi' the Scots lords at his feet.

Anonymous Ballad

The Flowers of the Forest

I've heard the lilting at our yowe-milking,
  Lasses a-lilting before the dawn o' day;
But now they are moaning on ilka green loaning:
  "The Flowers of the Forest are a' wede away."

At buchts, in the morning, nae blythe lads are scorning;
  The lasses are lonely, and dowie, and wae;
Nae daffin', nae gabbin', but sighing and sabbing:
  Ilk ane lifts her leglen, and hies her away.

In hairst, at the shearing, nae youths now are jeering,
  The bandsters are lyart, and runkled and grey;
At fair or at preaching, nae wooing, nae fleeching:
  The Flowers of the Forest are a' wede away.

At e'en, in the gloaming, nae swankies are roaming
  'Bout stacks wi' the lassies at bogle to play,
But ilk ane sits drearie, lamenting her dearie:
  The Flowers of the Forest are a' wede away.

Dule and wae for the order sent our lads to the Border,
  The English, for ance, by guile wan the day;
The Flowers of the Forest, that foucht aye the foremost,
  The prime o' our land, are cauld in the clay.

We'll hear nae mair lilting at our yowe-milking,
  Women and bairns are heartless and wae;
Sighing and moaning on ilka green loaning:
  "The Flowers of the Forest are a' wede away."

Song by Jean Elliot

yowe: ewe loaning: paddock wede away: died out, faded away buchts: sheep-pens
dowie and wae: downcast and sad daffin': flirting gabbin': chatting
leglen: milking-stool hairst: harvest bandsters: binders of sheaves lyart: white-haired
runkled: wrinkled fleeching: coaxing bogle: hide-and-seek dule: sorrow

MAGIC

The Wife of Usher's Well

There lived a wife at Usher's Well,
  And a wealthy wife was she;
She had three stout and stalwart sons,
  And sent them o'er the sea.

They hadna been a week from her,
  A week but barely ane,
When word came to the carline wife
  That her three sons were gane.

They hadna been a week from her,
  A week but barely three,
When word came to the carline wife
  That her sons she'd never see.

"I wish the wind may never cease,
  Nor fashes in the flood,
Till my three sons come hame to me
  In earthly flesh and blood!"

carline: old woman   fashes: troubles

MAGIC

It fell about the Martinmas,
  When nights are lang and mirk,
The carline wife's three sons came hame,
  And their hats were o' the birk.

It neither grew in syke nor ditch,
  Nor yet in ony sheugh;
But at the gates o' Paradise
  That birk grew fair eneugh.

"Blow up the fire, my maidens,
  Bring water from the well;
For a' my house shall feast this night,
  Since my three sons are well."

And she has made to them a bed,
  She's made it large and wide;
And she's taen her mantle her about,
  Sat down at the bedside.

Up then crew the red, red cock,
  And up and crew the gray;
The eldest to the youngest said,
  "'Tis time we were away."

The cock he hadna craw'd but once,
  And clapp'd his wings at a',
When the youngest to the eldest said,
  "Brother, we must awa.

birk: birch   syke: marsh, hollow   sheugh: ditch, trench

The Smoky Smirr o Rain

"The cock doth craw, the day doth daw,
  The channerin' worm doth chide;
Gin we be miss'd out o' our place,
  A sair pain we maun bide.

"Fare ye weel, my mother dear!
  Fareweel to barn and byre!
And fare ye weel, the bonny lass
  That kindles my mother's fire!"

Anonymous Ballad

channerin': fretting

The Black Bull of Norroway

In Norroway, langsyne, there lived a certain lady, and she had three dochters. The auldest o' them said to her mither: "Mither, bake me a bannock, and roast me a collop, for I'm gaun awa' to spotch my fortune." Her mither did sae; and the dochter gaed awa' to an auld witch washerwife and told her purpose. The auld wife bade her stay that day, and gang and look out o' her back door, and see what she could see. She saw nocht the first day. The second day she did the same, and saw nocht. On the third day she looked again, and saw a coach-and-six coming alang the road. She ran in and told the auld wife what she saw. "Aweel," quo' the auld wife, "Yon's for you." Sae they took her into the coach, and galloped aff.

The second dochter next says to her mither: "Mither, bake me a bannock, and roast me a collop, for I'm gaun awa' to spotch my fortune." Her mither did sae; and awa' she gaed to the auld wife, as her sister had dune. On the third day she look out o' the back door, and saw a coach-and-four coming alang the road. "Aweel," quo' the auld wife, "yon's for you." Sae they took her in, and aff they set.

The third dochter says to her mither: "Mither, bake me a bannock, and roast me a collop, for I'm gaun awa' to spotch my fortune." Her mither did sae; and awa' she gaed to the auld witch wife. She bade her look out o' her back door, and see what she could see. She did sae; and when she came back, said she saw nocht. The second day she did the same, and saw nocht. The third day she looked again, and on coming back, said to the auld wife she saw nocht but a muckle Black Bull coming crooning alang the road. "Aweel," quo' the auld wife, "yon's for you." On hearing this she was next to distracted wi' grief and terror; but she was lifted up and set on his back, and awa' they went.

Aye they travelled, and on they travelled, till the lady grew faint wi' hunger. "Eat out o' my right lug," says the Black Bull, "and drink out o' my left lug, and set by your leavings." Sae she did as he said, and was wonderfully refreshed. And lang they gaed, and sair they rade, till they came in sight o' a very big and bonny castle. "Yonder we maun be this night," quo' the bull, "for my auld brither lives yonder;" And presently they were at the place. They lifted her aff his back, and took her in, and sent him away to a park for the night. In the morning, when they brought the bull hame, they took the lady into a fine shining parlour, and gave her a beautiful apple, telling her no to break it till she was in the greatest strait ever mortal was in the world, and that wad bring her out o't. Again she was lifted on the bull's back, and after she had ridden far, and far'er than I can tell, they came in sight o' a far bonnier castle, and far farther awa' than the last. Says the bull till her: "Yonder we maun be the night, for my second brither lives yonder;" and they were at the place directly. They lifted her down and took her in, and sent the bull to the field for the night. In the morning they took the lady into a fine and rich room, and gave her the finest pear she had ever seen, bidding her no to break it till she was in the greatest strait ever mortal could be in, and that wad get her out o't. Again she was lifted and set on his back, and awa' they went. And lang they rade, and sair they rade, till they came in sight o' the far biggest castle, and far farthest aff, they had yet seen. "We maun be yonder the night," says the bull, "for my young brither lives yonder;" and they were there directly. They lifted her down, took her in, and sent the bull to the field for the night. In the morning they took her into a room, the finest of a', and gied her a plum, telling her no to break it till she was in the greatest strait mortal could be in, and that wad get her out o't. Presently they brought hame the bull, set the lady on his back, and awa' they went.

And aye they rade, and on they rade, till they came to a dark and ugsome glen, where they stopped, and the lady lighted down. Says the bull to her: "Here ye maun stay till I gang and fight the deil. Ye maun seat yoursel' on that stane, and move neither hand nor fit till I come back, else I'll never find ye again. And if everything round about ye turns blue, I hae beaten the deil; but should a' things turn red, he'll hae conquered me." She set hersel' down on the stane, and by and by a' round her turned blue. O'ercome wi' joy, she lifted ae fit and crossed it owre the ither, sae glad was she that her companion was victorious. The bull returned and sought for, but never could find her.

Lang she sat, and aye she grat, till she wearied. At last she rase and gaed awa', she kendna whaur till. On she wandered, till she came to a great hill o' glass, that she tried a' she could to climb, but wasna able. Round the bottom o' the hill she gaed, sabbing and seeking a passage owre, till at last she came to a smith's house; and the smith promised, if she wad serve him seven years, he wad mak her airn shoon, wherewi' she could climb owre the glassy hill. At seven years' end she got her airn shoon, clamb the glassy hill, and chanced to come to the auld washerwife's habitation. There she was telled of a gallant young knight that had given in some bluidy sarks to wash, and whaever washed thae sarks was to be his wife. The auld wife had washed till she was tired, and then she set to her dochter, and baith washed, and they washed, and they better washed, in hopes of getting the young knight; but a' they could ever do, they couldna bring out a stain. At length they set the stranger damosel to wark; and whenever she began, the stains came out pure and clean, and the auld wife made the knight believe it was her dochter had washed the sarks. So the knight and the eldest dochter were to be married, and the stranger damosel was distracted at the thought of it, for she was deeply in love wi' him. So she bethought of her apple, and breaking it, found it filled with gold and precious jewellery, the richest she had ever seen. "All these," she said to the eldest dochter, "I will give you, on condition that you put off your marriage for ae day, and allow me to go into his room alone at night." So the lady consented; but meanwhile the auld wife had prepared a sleeping drink and given it to the knight, wha drank it, and never wakened till next morning. The lee-lang night the damosel sabbed and sang:

> "Seven lang years I served for thee,
> The glassy hill I clamb for thee,
> The bluidy shirt I wrang for thee;
> And wilt thou no wauken and turn to me?"

Next day she kentna what to do for grief. She then brak the pear, and fan't it filled wi' jewellery far richer than the contents o' the apple. Wi' the jewels she bargained for permission to be a second night in the young knight's chamber; but the auld wife gied him anither sleeping drink, and he again sleepit till morning. A' night she kept sighing and singing as before:

> "Seven lang years I served for thee,
> The glassy hill I clamb for thee,
> The bluidy shirt I wrang for thee;
> And wilt thou no wauken and turn to me?"

Still he sleepit, and she nearly lost hope a'thegither. But that day, when he was out at the hunting, somebody asked him what noise and moaning was yon they heard all last night in his bedchamber. He said he heardna ony noise. But they assured him there was sae; and he resolved to keep waking that night to try what he could hear. That being the third night, and the damosel being between hope and despair, she brak her plum, and it held far the richest jewellery of the three. She bargained as before; and the auld wife, as before, took in the sleeping drink to the young knight's chamber; but he told her that he couldna drink it that night without sweetening. And when she gaed awa' for some honey to sweeten it wi', he poured out the drink, and sae made the auld wife think he had drunk it. They a' went to bed again, and the damosel began, as before, singing:

> "Seven lang years I served for thee,
> The glassy hill I clamb for thee,
> The bluidy shirt I wrang for thee;
> And wilt thou no wauken and turn to me?"

He heard, and turned to her. And she telled him a' that had befa'en her, and he telled her a' that had happened to him. And he caused the auld washerwife and her dochter to be burnt. And they were married, and he and she are living happy till this day, for aught I ken.

Unknown narrator, in Robert Chambers, Popular Rhymes of Scotland

langsyne: long ago   collop: slice of meat   spotch: seek   airn shoon: iron shoes

Thomas the Rhymer

True Thomas lay on Huntlie bank;
  A ferlie he spied wi' his ee;
And there he saw a lady bright
  Come riding down by the Eildon Tree.

Her skirt was o' the grass-green silk,
  Her mantle o' the velvet fine;
At ilka tett of her horse's mane
  Hung fifty siller bells and nine.

True Thomas, he pu'd aff his cap,
  And louted low down to his knee,
"All hail, thou mighty Queen of Heaven!
  For thy peer on earth I never did see."

"O no, O no, Thomas," she said,
  "That name does not belang to me;
I am but the Queen of fair Elfland,
  That am hither come to visit thee.

"Harp and carp, Thomas," she said,
  "Harp and carp along wi' me;
And if ye dare to kiss my lips,
  Sure of your bodie I will be."

"Betide me weal, betide me woe,
  That weird shall never daunton me."
Syne he has kiss'd her rosy lips,
  All underneath the Eildon Tree.

ferlie: marvel   ilka tett: every tuft   louted: bowed   harp and carp: play and recite
weird: fate daunton: daunt

The Smoky Smirr o Rain

"Now, ye maun go wi' me," she said,
  "True Thomas, ye maun go wi' me;
And ye maun serve me seven years,
  Thro' weal or woe as may chance to be."

She's mounted on her milk-white steed;
  She's ta'en true Thomas up behind;
And aye, whene'er her bridle rung,
  The steed flew swifter than the wind.

O they rade on, and farther on;
  The steed gaed swifter than the wind;
Until they reach'd a desert wide,
  And living land was left behind.

"Light down, light down, now, true Thomas,
  And lean your head upon my knee;
Abide and rest a little space,
  And I will show you ferlies three.

"O see ye not yon narrow road,
  So thick beset with thorns and briers?
That is the path of righteousness,
  Though after it but few enquires.

"And see ye not yon braid, braid road,
  That lies across that lily leven?
That is the path of wickedness,
  Though some call it the road to Heaven.

leven: lawn

MAGIC

"And see ye not yon bonnie road
  That winds about the fernie brae?
That is the road to fair Elfland,
  Whare thou and I this night maun gae.

"But, Thomas, ye maun hold your tongue,
  Whatever ye may hear or see;
For if you speak word in Elflyn land
  Ye'll ne'er get back to your ain countrie."

O they rade on, and farther on,
  And they waded rivers aboon the knee;
And they saw neither sun nor moon,
  But they heard the roaring of the sea.

It was mirk, mirk night, and there was nae stern light,
  And they waded through red blude to the knee;
For a' the blude that's shed on earth
  Rins through the springs o' that countrie.

Syne they came to a garden green,
  And she pu'd an apple frae a tree –
"Take this for thy wages, true Thomas;
  It will give thee the tongue that can never lee."

"My tongue is mine ain," true Thomas said;
  "A gudely gift ye wad gie to me!
I neither dought to buy nor sell,
  At fair or tryst where I might be.

stern: star   dought: could

195

The Smoky Smirr o Rain

"I dought neither speak to prince or peer,
  Nor ask of grace from fair ladye!" –
"Now hold thy peace!" the lady said,
  "For as I say, so must it be."

He has gotten a coat of the even cloth,
  And a pair o' shoon of the velvet green;
And till seven years were gane and past,
  True Thomas on earth was never seen.

Anonymous Ballad

even cloth: smooth cloth

The Tale of Tod Lapraik

This story is contained in the novel Catriona, and is narrated by Andie Dale, warder of the Bass Rock, to David Balfour, whom he is keeping there against his will. The tale refers back to the period when the Bass was used as a government prison for Covenanters.

My faither, Tam Dale, peace to his banes, was a wild, sploring lad in his young days, wi' little wisdom and little grace. He was fond of a lass and fond of a glass, and fond of a ran-dan; but I could never hear tell that he was muckle use for honest employment. Frae ae thing to anither, he listed at last for a sodger and was in the garrison of this fort, which was the first way that ony of the Dales cam to set foot upon the Bass. Sorrow upon that service! The governor brewed his ain ale; it seems it was the warst conceivable. The rock was proveesioned frae the shore with vivers, the thing was ill-guided, and there were whiles when they büt to fish and shoot solans for their diet. To crown a', thir was the Days of the Persecution. The perishin' cauld chalmers were all occupeed wi' sants and martyrs, the saut of the yearth, of which it wasnae worthy. And though Tam Dale carried a firelock there, a single sodger, and liked a lass and a glass, as I was sayin', the mind of the man was mair just than set with his position. He had glints of the glory of the kirk; there were whiles when his dander rase to see the Lord's sants misguided, and shame covered him that he should be haulding a can'le (or carrying a firelock) in so black a business. There were nights of it when he was here on sentry, the place a' wheesht, the frosts o' winter maybe riving in the wa's, and he would hear ane o' the prisoners strike up a psalm, and the rest join in, and the blessed sounds rising from the different chalmers – or dungeons, I would raither say – so that this auld craig in the sea was like a pairt of Heev'n. Black shame was on his saul; his sins hove up before him muckle as the Bass, and above a', that chief sin, that he should have a hand in hagging and hashing at Christ's Kirk. But the truth is that he resisted the spirit. Day cam, there were the rousing compainions, and his guid resolves depairtit.

In thir days, dwalled upon the Bass a man of God, Peden the Prophet was his name. Ye'll have heard tell of Prophet Peden. There was never the wale of him sinsyne, and it's a question wi' mony if there ever was his like afore. He was wild's a peat-hag, fearsome to look at, fearsome to hear, his face like the day of judgment. The voice of him was like a solan's and dinnled in folks' lugs, and the words of him like coals of fire.

Now there was a lass on the rock, and I think she had little to do, for it was nae place for dacent weemen; but it seems she was bonny, and her and Tam Dale were very well agreed. It befell that Peden was in the gairden his lane at the praying when Tam and the lass cam by; and what should the lassie do but mock with laughter at the sant's devotions? He rose and lookit at the twa o' them, and Tam's knees knoitered thegether at the look of him. But whan he spak, it was mair in sorrow than in anger. "Poor thing, poor thing!" says he, and it was the lass he lookit at, "I hear you skirl and laugh," he says, "but the Lord has a deid shot prepared for you, and at that surprising judgment ye shall skirl but the ae time!" Shortly thereafter she was daundering on the craigs wi' twa-three sodgers, and it was a blawy day. There cam a gowst of wind, claught her by the coats, and awa' wi' her bag and baggage. And it was remarkit by the sodgers that she gied but the ae skirl.

Nae doubt this judgment had some weicht upon Tam Dale; but it passed again and him none the better. Ae day he was flyting wi' anither sodger-lad. "Deil hae me!" quo' Tam, for he was a profane swearer. And there was Peden glowering at him, gash an' waefu'; Peden wi' his lang chafts an' luntin' een, the maud happed about his kist, and the hand of him held out wi' the black nails upon the finger-nebs – for he had nae care of the body. "Fy, fy, poor man!" cries he, "the poor fool man! *Deil hae me*, quo' he; an' I see the deil at his oxter." The conviction of guilt and grace cam in on Tam like the deep sea; he flang doun the pike that was in his hands – "I will nae mair lift arms against the cause o' Christ!" says he, and was as gude's word. There was a sair fyke in the beginning, but the governor, seeing him resolved, gied him his dischairge, and he went and dwallt and married in North Berwick, and had aye a gude name with honest folk frae that day on.

It was in the year seeventeen hunner and sax that the Bass cam in the hands o' the Da'rymples, and there was twa men soucht the chairge of it. Baith were weel qualified, for they had baith been sodgers in the garrison, and kent the gate to handle solans, and the seasons and values of them. Forby that they were baith – or they baith seemed – earnest professors and men of comely conversation. The first of them was just Tam Dale, my faither. The second was ane Lapraik, whom the folk ca'd Tod Lapraik maistly, but whether for his name or his nature I could never hear tell. Weel, Tam gaed to see Lapraik upon this business, and took me, that was a toddlin' laddie, by the hand. Tod had his dwallin' in the lang loan benorth the kirkyaird. It's a dark uncanny loan, forby that the kirk has aye had an ill name since the days o' James the Saxt and the deevil's cantrips played therein when the Queen was on the seas; and as for Tod's house, it was in the mirkest end, and was little liked by some that kenned the best. The door was on the sneck that day, and me and my faither gaed straucht in. Tod was a wabster to his trade; his loom stood in the but. There he sat, a muckle fat, white hash of a man like creish, wi' a kind of a holy smile that gart me scunner. The hand of him aye cawed the shuttle, but his een was steekit. We cried to him by his name, we skirled in the deid lug of him, we shook him by the shouther. Nae mainner o' service! There he sat on his dowp, an' cawed the shuttle and smiled like creish.

"God be guid to us," says Tam Dale, "this is no canny!"

He had jimp said the word, when Tod Lapraik cam to himsel'.

"Is this you, Tam?" says he. "Haith, man! I'm blythe to see ye. I whiles fa' into a bit dwam like this," he says; "it's frae the stamach."

Weel, they began to crack about the Bass and which of them twa was to get the warding o't, and by little and little cam to very ill words, and twined in anger. I mind weel, that as my faither and me gaed hame again, he cam ower and ower the same expression, how little he likit Tod Lapraik and his dwams.

"Dwam!" says he. "I think folk hae brunt for dwams like yon."

Aweel, my faither got the Bass and Tod had to go wantin'. It was remembered sinsyne what way he had ta'en the thing. "Tam," says he, "ye hae gotten the better o' me aince mair, and I hope," says he, "ye'll find at least a' that ye expeckit at the Bass." Which have since been thought remarkable expressions. At last the time came for Tam Dale to take young solans. This was a business he was weel used wi', he had been a craigsman frae a laddie, and trustit nane but himsel'. So there was he hingin' by a line an' speldering on the craig face, whaur it's hieest and steighest. Fower tenty lads were on the tap, hauldin' the line and mindin' for his signals. But whaur Tam hung there was naething but the craig, and the sea belaw, and the solans skirling and flying. It was a braw spring morn, and Tam whustled as he claught in the young geese. Mony's the time I heard him tell of this experience, and aye the swat ran upon the man.

It chanced, ye see, that Tam keeked up, and he was awaur of a muckle solan, and the solan pyking at the line. He thocht this by-ordinar and outside the creature's habits. He minded that ropes was unco saft things, and the solan's neb and the Bass Rock unco hard, and that twa hunner feet were raither mair than he would care to fa'.

"Shoo!" says Tam. "Awa', bird! Shoo, awa' wi' ye!" says he.

The solan keekit doun into Tam's face, and there was something unco in the creature's ee. Just the ae keek it gied, and back to the rope. But now it wrocht and warstl't like a thing dementit. There never was the solan made that wrocht as that solan wrocht; and it seemed to understand its employ brawly, birzing the saft rope between the neb of it and a crunkled jag o' stane.

There gaed a cauld stend o' fear into Tam's heart. "This thing is nae bird," thinks he. His een turnt backward in his heid and the day gaed black about him. "If I get a dwam here," he thoucht, "it's by wi' Tam Dale." And he signalled for the lads to pu' him up.

And it seemed the solan understood about signals. For nae sooner was the signal made than he let be the rope, spried his wings, squawked out loud, took a turn flying, and dashed straucht at Tam Dale's een. Tam had a knife, he gart the cauld steel glitter. And it seemed the solan understood about knives, for nae suner did the steel glint in the sun than he gied the ae squawk, but laigher, like a body disappointit, and flegged aff about the roundness of the craig, and Tam saw him nae mair. And as sune as that thing was gane, Tam's heid drapt upon his shouther, and they pu'd him up like a deid corp, dadding on the craig.

A dram of brandy (which he went never without) broucht him to his mind, or what was left of it. Up he sat.

"Rin, Geordie, rin to the boat, mak' sure of the boat, man – rin!" he cries, "or yon solan'll have it awa'," says he.

The fower lads stared at ither, an' tried to whilly-wha him to be quiet. But naething would satisfy Tam Dale, till ane o' them had startit on aheid to stand sentry on the boat. The ithers askit if he was for down again.

"Na," says he, "and neither you nor me," says he, "and as sune as I can win to stand on my twa feet we'll be aff frae this craig o' Sawtan."

Sure eneuch, nae time was lost, and that was ower muckle; for before they won to North Berwick Tam was in a crying fever. He lay a' the simmer; and wha was sae kind as come speiring for him, but Tod Lapraik! Folk thocht afterwards that ilka time Tod cam near the house the fever had worsened. I kenna for that; but what I ken the best, that was the end of it.

It was about this time o' the year; my grandfaither was out at the white fishing; and like a bairn, I büt to gang wi' him. We had a grand take, I mind, and the way that the fish lay broucht us near in by the Bass, whaur we foregaithered wi' anither boat that belanged to a man Sandie Fletcher in Castleton. He's no lang deid neither, or ye could speir at himsel'. Weel, Sandie hailed.

"What's yon on the Bass?" says he.

"On the Bass?" says grandfaither.

"Ay," says Sandie, "on the green side o't."

"Whatten kind of a thing?" says grandfaither. "There cannae be naething on the Bass but just the sheep."

"It looks unco like a body," quo' Sandie, who was nearer in.

"A body!" says we, and we nane of us likit that. For there was nae boat that could have brought a man, and the key o' the prison yett hung ower my faither's heid at hame in the press bed.

We keept the twa boats closs for company, and crap in nearer hand. Grandfaither had a gless, for he had been a sailor, and the captain of a smack, and had lost her on the sands of Tay. And when we took the gless to it, sure eneuch there was a man. He was in a crunkle o' green brae, a wee below the chaipel, a' by his lee lane, and lowped and flang and danced like a daft quean at a waddin'.

"It's Tod," says grandfaither, and passed the gless to Sandie.

"Ay, it's him," says Sandie.

"Or ane in the likeness o' him," says grandfaither.

"Sma' is the differ," quo' Sandie. "Deil or warlock, I'll try the gun at him," quo' he, and broucht up a fowling-piece that he aye carried, for Sandie was a notable famous shot in all that country.

"Haud your hand, Sandie," says grandfaither; "we maun see clearer first," says he, "or this may be a dear day's wark to the baith of us."

"Hout!" says Sandie, "this is the Lord's judgment surely, and be damned to it!" says he.

"Maybe ay, and maybe no," says my grandfaither, worthy man! "But have you a mind of the Procurator Fiscal, that I think ye'll have foregaithered wi' before," says he.

This was ower true, and Sandie was a wee thing set ajee. "Aweel, Edie," says he, "and what would be your way of it?"

"Ou, just this," says grandfaither. "Let me that has the fastest boat gang back to North Berwick, and let you bide here and keep an eye on Thon. If I cannae find Lapraik, I'll join ye and the twa of us'll have a crack wi' him. But if Lapraik's at hame, I'll rin up the flag at the harbour, and ye can try Thon Thing wi' the gun."

Aweel, so it was agreed between them twa. I was just a bairn, an' clum in Sandie's boat, whaur I thoucht I would see the best of the employ. My grandsire gied Sandie a siller tester to pit in his gun wi' the leid draps, bein' mair deidly again bogles. And then the ae boat set aff for North Berwick, an' the tither lay whaur it was and watched the wanchancy thing on the brae-side.

A' the time we lay there it lowped and flang and capered and span like a teetotum, and whiles we could hear it skelloch as it span. I hae seen lassies, the daft queans, that would lowp and dance a winter's nicht, and still be lowping and dancing when the winter's day cam in. But there would be fowk there to hauld them company, and the lads to egg them on; and this thing was its lee-lane. And there would be a fiddler diddling his elbock in the chimney-side; and this thing had nae music but the skirling of the solans. And the lassies were bits o' young things wi' the reid life dinnling and stending in their members; and this was a muckle, fat, creeshy man, and him fa'n in the vale o' years. Say what ye like, I maun say what I believe. It was joy was in the creature's heart, the joy o' hell, I daursay: joy whatever. Mony a time I have askit mysel' why witches and warlocks should sell their sauls (whilk are their maist dear possessions) and be auld, duddy, wrunkl't wives or auld, feckless, doddered men; and then I mind upon Tod Lapraik dancing a' the hours by his lane in the black glory of his heart. Nae doubt they burn for it muckle in hell, but they have a grand time here of it, whatever! – and the Lord forgie us!

Weel, at the hinder end, we saw the wee flag yirk up to the mast-heid upon the harbour rocks. That was a' Sandie waited for. He up wi' the gun, took a deleeberate aim, an' pu'd the trigger. There cam' a bang and then ae waefu' skirl frae the Bass. And there were we rubbin' our een and lookin' at ither like daft folk. For wi' the bang and the skirl the thing had clean disappeared. The sun glintit, the wund blew, and there was the bare yaird whaur the Wonder had been lowping and flinging but ae second syne.

The hale way hame I roared and grat wi' the terror o' that dispensation. The grawn folk were nane sae muckle better; there was little said in Sandie's boat but just the name of God; and when we won in by the pier, the harbour rocks were fair black wi' the folk waitin' us. It seems they had fund Lapraik in ane of his dwams, cawing the shuttle and smiling. Ae lad they sent to hoist the flag, and the rest abode there in the wabster's house. You may be sure they liked it little; but it was a means of grace to severals that stood there praying in to themsel's (for nane cared to pray out loud) and looking on thon awesome thing as it cawed the shuttle. Syne, upon a suddenty, and wi' the ae dreidfu' skelloch, Tod sprang up frae his hinderlands and fell forrit on the wab, a bluidy corp.

When the corp was examined the leid draps hadnae played buff upon the warlock's body; sorrow a leid drap was to be fund; but there was grandfaither's siller tester in the puddock's heart of him.

Robert Louis Stevenson, Catriona

sploring: roving vivers: food ill-guided: badly managed büt: were obliged
chalmers: chambers, cells sants: saints solans: gannets misguided: ill-used
hagging and hashing: hacking and slashing wale: equal skirl: yell, scream
flyting: arguing gash: grim chafts: cheekbones luntin': sparking maud: plaid
kist: chest fyke: fuss cantrips: tricks sneck: latch the but: the outer room
wabster: weaver hash: sloven creish: grease cawed: drove steekit: shut tight
jimp: scarcely twined: parted speldering: stretchng out steighest: steepest
tenty: watchful wrought: worked birzing: rubbing, pressing stend: sudden
movement dadding: knocking whilly-wha: coax speiring: asking yett: gate
crunkle: crease by his lee lane: on his own tester: sixpence bogles: unearthly
beings wanchancy: not safe to meddle with skelloch: shriek elbock: elbow
duddy: ragged doddered: decayed yirk: jerk hadnae played buff: had made no
impression

The Wee Wee Man

As I was walking all alone,
  Between a water and a wa',
And there I spy'd a wee wee man,
  And he was the least that e'er I saw.

His legs were scarce a shathmont's length,
  And thick and thimber was his thigh;
Between his brows there was a span,
  And between his shoulders there was three.

He took up a meikle stane,
  And he flang't as far as I could see;
Tho I had been a Wallace wight
  I couldna liften 't to my knee.

"O wee wee man, but thou be strang!
  O tell me whare thy dwelling be?"
"My dwelling's down at yon bonny bower;
  O will you go with me and see?"

On we lap, and awa we rade,
  Till we came to yon bonny green;
We lighted down for to bait our horse,
  And out there came a lady fine.

Four and twenty at her back,
  And they were a' clad out in green;
Tho' the King of Scotland had been there,
  The warst o' them might hae been his queen.

shathmont: the distance between the knuckle of the pinkie in a clenched fist and the
tip of the extended thumb, about six inches   thimber: gross, heavy   meikle: big
lap: leapt   bait: rest and feed

The Smoky Smirr o Rain

On we lap, and awa we rade,
  Till we cam to yon bonny ha',
Whare the roof was o' the beaten gould,
  And the floor was o' the cristal a'.

When we came to the stair-foot,
  Ladies were dancing jimp and sma',
But in the twinkling of an eye
  My wee wee man was clean awa.

Anonymous Ballad

jimp: neat

DEID

Crowdieknowe

Oh to be at Crowdieknowe
When the last trumpet blaws,
An' see the deid come loupin' owre
The auld grey wa's.

Muckle men wi' tousled beards,
I grat at as a bairn
'll scramble frae the croodit clay
Wi' feck o' swearin'.

An' glower at God an' a' his gang
O' angels i' the lift
– Thae trashy bleezin' French-like folk
Wha gar'd them shift!

Fain the weemun-folk'll seek
To mak' them haud their row
– *Fegs, God's no blate gin he stirs up*
The men o' Crowdieknowe!

Hugh MacDiarmid

feck: plenty   lift: sky   gar'd: made   fain: eagerly   fegs: indeed!   blate: timid

Of Lyfe

Quhat is this lyfe bot ane straucht way to deid,
  Quhilk hes a tyme to pas, and nane to dwell;
A slyding quheill us lent to seik remeid;
  A fre chois gevin to Paradice or Hell;
  A pray to deid, quhome vane is to repell;
A schoirt torment for infineit glaidnes,
Als schort ane joy for lestand hevynes.

William Dunbar

deid: death   a slyding quheill: a turning wheel   remeid: salvation
a pray to deid: a prey to death   als: as   lestand hevynes: everlasting sorrow

Death and Doctor Hornbook

A TRUE STORY

Some books are lies frae end to end,
And some great lies were never penn'd:
Ev'n ministers, they hae been kenn'd,
      In holy rapture,
A rousing whid at times to vend,
        And nail't wi' Scripture.

But this that I am gaun to tell,
Which lately on a night befell,
Is just as true's the Deil's in hell
      Or Dublin city:
That e'er he nearer comes oursel
        'S a muckle pity.

The clachan yill had made me canty,
I was na fou, but just had plenty;
I stacher'd whiles, but yet took tent ay
      To free the ditches;
An' hillocks, stanes, an' bushes, kend ay
        Frae ghaists an' witches.

The rising moon began to glowr
The distant Cumnock hills out-owre:
To count her horns, wi' a my pow'r,
      I set mysel';
But whether she had three or four,
        I cou'd na tell.

whid: fib   clachan yill: village ale   canty: merry   stacher'd: staggered
took tent: took care

The Smoky Smirr o Rain

I was come round about the hill,
An' todlin down on Willie's mill,
Setting my staff wi' a' my skill,
      To keep me sicker;
Tho' leeward whiles, against my will,
      I took a bicker.

I there wi' Something did forgather,
That pat me in an eerie swither;
An' awfu' scythe, out-owre ae shouther,
      Clear-dangling, hang;
A three-tae'd leister on the ither
      Lay, large an' lang.

Its stature seem'd lang Scotch ells twa,
The queerest shape that e'er I saw,
For fient a wame it had ava;
      And then, its shanks,
They were as thin, as sharp an' sma'
      As cheeks o' branks.

"Guid-een," quo' I; "Friend! hae ye been mawin,
When ither folk are busy sawin!"
It seem'd to make a kind o' stan'
      But naething spak;
At length, says I, "Friend! whare ye gaun?
      Will ye go back?"

sicker: secure   bicker: rapid movement   forgather: meet   swither: hesitation
three-taed leister: three-pronged fish-spear   fient a wame it had ava: it had hardly
any belly at all   branks: bridles   mawin: mowing

DEID

It spak right howe – "My name is Death,
But be na fley'd." – Quoth I, "Guid faith,
Ye're maybe come to stap my breath;
        But tent me, billie;
I red ye weel, tak care o' skaith,
        See, there's a gully!"

"Gudeman," quo' he, "put up your whittle,
I'm no design'd to try its mettle;
But if I did, I wad be kittle
        To be mislear'd;
I wad na mind it, no that spittle
        Out-owre my beard."

"Weel, weel!" says I, "a bargain be't;
Come, gie's your hand, an' sae we're gree't;'
We'll ease our shanks an tak a seat –
        Come, gie's your news;
This while ye hae been mony a gate,
        At mony a house."

"Ay, ay!" quo' he, an' shook his head,
"It's e'en a lang, lang time indeed
Sin' I began to nick the thread,
        An' choke the breath:
Folk maun do something for their bread,
        An' sae maun Death.

"Sax thousand years are near-hand fled
Sin' I was to the butching bred,

howe: hollow fley'd: frightened skaith: injury gully: knife whittle: blade
kittle: amused mislear'd: mischievous spittle: thing of insignificance gree't: agreed
gate: road maun: must

The Smoky Smirr o Rain

An' mony a scheme in vain's been laid,
      To stap or scar me;
Till ane Hornbook's ta'en up the trade,
      An' faith! he'll waur me.

"Ye ken Jock Hornbook i' the clachan,
Deil mak his king's-hood in a spleuchan!
He's grown sae weel acquaint wi' Buchan
      And ither chaps,
The weans haud out their fingers laughin,
      An' pouk my hips.

"See, here's a scythe, an' there's a dart,
They hae pierc'd mony a gallant heart;
But Doctor Hornbook, wi' his art
      An' cursèd skill,
Has made them baith no worth a fart,
      Damn'd haet they'll kill!

"'Twas but yestreen, nae farther gane,
I threw a noble throw at ane;
Wi' less, I'm sure, I've hundreds slain;
      But deil-ma-care!
It just play'd dirl on the bane,
      But did nae mair.

"Hornbook was by, wi' ready art,
An' had sae fortify'd the part,
That when I lookèd to my dart,
      It was sae blunt,
Fient haet o't wad hae pierc'd the heart
      Of a kail-runt.

waur: outdo   king's-hood: scrotum   spleuchan: tobacco pouch   pouk: poke
damn'd haet: not a damned one   play'd dirl: went rattle   kail-runt: cabbage stalk

DEID

"I drew my scythe in sic a fury,
I near-hand cowpit wi' my hurry,
But yet the bauld Apothecary
   Withstood the shock;
I might as weel hae tried a quarry
   O' hard whin-rock.

"Ev'n them he canna get attended,
Altho' their face he ne'er had kend it,
Just shite in a kail-blade an' send it:
   As soon's he smells't,
Baith their disease, and what will mend it,
   At once he tells't.

"And then, a' doctor's saws an' whittles,
Of a' dimensions, shapes, an' mettles,
A' kinds o' boxes, mugs, an' bottles,
   He's sure to hae;
Their Latin names as fast he rattles
   As A B C.

"Calces o' fossils, earths, and trees;
True *sal-marinum* o' the seas;
The *farina* of beans an' pease,
   He has't in plenty;
Aqua-fontis, what you please,
   He can content ye.

"Forbye some new, uncommon weapons,
Urinus spiritus of capons;
Or mite-horn shavings, filings, scrapings,
   Distill'd *per se*;

cowpit: tumbled kail-blade: cabbage leaf

The Smoky Smirr o Rain

Sal-alkali o' midge-tail clippings,
      And mony mae."

"Waes me for Johnnie Ged's Hole now,"
Quoth I, "if that thae news be true!
His braw calf-ward whare gowans grew
      Sae white and bonnie,
Nae doubt they'll rive it wi' the plew;
      They'll ruin Johnnie!"

The creature grain'd an eldritch laugh,
And says "Ye needna yoke the pleugh,
Kirkyards will soon be till'd eneugh,
      Tak ye nae fear:
They'll a' be trench'd wi mony a sheugh,
      In twa-three year.

"Whare I kill'd ane, a fair strae-death,
By loss o' blood or want o' breath,
This night I'm free to tak my aith,
      That Hornbook's skill
Has clad a score i' their last claith,
      By drap an' pill.

"An honest wabster to his trade,
Whase wife's twa nieves were scarce weel-bred
Gat tippence-worth to mend her head,
      When it was sair;
The wife slade cannie to her bed,
      But ne'er spak mair.

mae: more   Johnnie Ged's Hole: the graveyard   calf-ward: grazing-plot (i.e.
graveyard)   gowans: daisies   rive: tear   grain'd: groaned   eldritch: uncanny
sheugh: ditch   fair strae: natural   wabster: weaver   nieves: fists
slade cannie: slid gently

DEID

"A country laird had ta'en the batts,
Or some curmurring in his guts,
His only son for Hornbook sets,
      An' pays him well:
The lad, for twa guid gimmer-pets,
      Was laird himsel'.

"A bonnie lass – ye kend her name –
Some ill-brewn drink had hov'd her wame;
She trusts hersel', to hide the shame,
      In Hornbook's care;
Horn sent her aff to her lang hame,
      To hide it there.

"That's just a swatch o' Hornbook's way;
Thus goes he on from day to day,
Thus does he poison, kill, an' slay,
      An's weel paid for't;
Yet stops me o' my lawfu' prey,
      Wi' his damn'd dirt:

"But, hark! I'll tell you of a plot,
Tho' dinna ye be speakin o't;
I'll nail the self-conceited sot,
      As dead's a herrin;
Niest time we meet, I'll wad a groat,
      He gets his fairin!"

batts: colic   curmurring: rumbling   gimmer-pets: one-year-old ewes   hov'd: swelled
swatch: sample   wad: wager   groat: small coin   his fairin: what he deserves

The Smoky Smirr o Rain

But just as he began to tell,
The auld kirk-hammer strak the bell
Some wee short hour ayont the twal,
      Which rais'd us baith:
I took the way that pleas'd mysel,
      And sae did Death.
            Robert Burns

twal: twelve

The Keekin-Gless

Lassie at the keekin-gless
Ye arena there yoursel';
Owre ilka shüther is a face
That comes to keek as weel.

Lassie at the keekin-gless
Ye aye maun look on three:
The dead face, and the livin face,
And the ane that is to be.

William Soutar

keekin-gless: mirror   shüther: shoulder   keek: look

The Twa Corbies

As I was walking all alane
  I heard twa corbies making a mane:
The tane unto the tither did say,
  "Whar sall we gang and dine the day?"

"– In behint yon auld fail dyke
  I wot there lies a new-slain knight;
And naebody kens that he lies there
  But his hawk, his hound, and his lady fair.

"His hound is to the hunting gane,
  His hawk to fetch the wild-fowl hame,
His lady's ta'en anither mate,
  So we may mak our dinner sweet.

"Ye'll sit on his white hause-bane,
  And I'll pike out his bonny blue een:
Wi' ae lock o' his gowden hair
  We'll theek our nest when it grows bare.

"Mony a one for him maks mane,
  But nane sall ken whar he is gane:
O'er his white banes, when they are bare,
  The wind sall blaw for evermair."

                    Anonymous Ballad

mane: moan, complaint   fail dyke: turf wall   wot: know   hause-bane: neck bone
theek: thatch

DEID

Lament for the Makaris

QUHEN HE WES SEIK

I that in heill wes and gladnes
Am trublit now with gret seiknes,
And feblit with infermite:
  Timor mortis conturbat me.

Our pleasance heir is all vane glory,
This fals warld is bot transitory,
The flesch is brukle, the Fend is sle:
  Timor mortis conturbat me.

The stait of man dois change and vary,
Now sound, now seik, now blith, now sary,
Now dansand mery, now like to dee:
  Timor mortis conturbat me.

No stait in erd heir standis sickir;
As with the wynd wavis the wickir,
So waveris this warldis vanitie:
  Timor mortis conturbat me.

On to the ded gois all estatis,
Princis, prelotis, and potestatis,
Baith riche and pur of al degre:
  Timor mortis conturbat me.

heill: health   brukle: frail   Fend: Devil   sle: cunning   in erd: on earth   sickir: secure
ded: death   prelotis: bishops   potestatis: rulers

The Smoky Smirr o Rain

He takis the knychtis in to feild,
Anarmyt under helme and scheild;
Victour he is at all melle:
    Timor mortis conturbat me.

That strang unmercifull tyrand
Takis, on the moderis breist sowkand,
The bab full of benignite:
    Timor mortis conturbat me.

He takis the campion in the stour,
The capitane closit in the tour,
The lady in bour full of bewte:
    Timor mortis conturbat me.

He sparis no lord for his piscence,
Na clerk for his intelligence;
His awfull strak may no man fle:
    Timor mortis conturbat me.

Art-magicianis, and astrologgis,
Rethoris, logicianis, and theologgis,
Thame helpis no conclusionis sle:
    Timor mortis conturbat me.

In medicyne the most practicianis,
Lechis, surrigianis, and phisicianis,
Thame self fra ded may not supple:
    Timor mortis conturbat me.

melle: combat moderis: mother's campion: champion, hero piscence: power
supple: rescue

DEID

I se that makaris, amang the laif,
Playis heir ther pageant, syne gois to graif.
Sparit is nocht ther facultie:
  Timor mortis conturbat me.

He hes done petuously devour,
The noble Chaucer, of makaris flour,
The Monk of Bery, and Gower, all thre:
  Timor mortis conturbat me.

The gude Syr Hew of Eglintoun,
And eik Heryot, and Wyntoun,
He hes tane out of this cuntre:
  Timor mortis conturbat me.

That scorpion fell hes done infek
Maister Johne Clerk, and James Afflek,
Fra balat making and tragidie:
  Timor mortis conturbat me.

Holland and Barbour he hes berevit;
Allace! that he nocht with us levit
Schir Mungo Lokert of the Le:
  Timor mortis conturbat me.

Clerk of Tranent eik he hes tane,
That maid the Anteris of Gawane.
Schir Gilbert Hay endit hes he:
  Timor mortis conturbat me.

makaris: poets   the laif: the rest   graif: grave   eik: also   Anteris: adventures

The Smoky Smirr o Rain

He hes Blind Hary and Sandy Traill
Slaine with his schour of mortall haill,
Quhilk Patrik Johnestoun myght nocht fle:
   Timor mortis conturbat me.

He hes reft Merseir his endite,
That did in luf so lifly write,
So schort, so quyk, of sentence hie:
   Timor mortis conturbat me.

He hes tane Roull of Aberdene,
And gentill Roull of Corstorphin;
Two bettir fallowis did no man se:
   Timor mortis conturbat me.

In Dumfermelyne he hes done roune
With Maister Robert Henrisoun.
Schir Johne the Ros enbrast hes he:
   Timor mortis conturbat me.

And he hes now tane, last of aw,
Gud gentill Stobo and Quintyne Schaw,
Of quham all wichtis hes pete:
   Timor mortis conturbat me.

Gud Maister Walter Kennedy
In poynt of dede lyis verally.
Gret reuth it wer that so suld be:
   Timor mortis conturbat me.

reft: robbed   endite: composition   enbrast: embraced   wichtis: men   pete: pity
reuth: pity

DEID

Sen he hes all my brether tane,
He will nocht lat me lif alane.
On forse I man his nyxt pray be:
  Timor mortis conturbat me.

Sen for the deid remeid is none,
Best is that we for dede dispone,
Eftir our deid that lif may we:
  Timor mortis conturbat me.

William Dunbar

on forse: inevitably man: must dispone: prepare

GALLUS

Almost Miss Scotland

The night I
Almost became Miss Scotland,
I caused a big stramash
When I sashayed on in my harristweed heathermix onepiece
And my "Miss Garthamlock" sash.

I wis six-fit-six, I wis slinky
(Yet nae skinnymalinky) –
My waist was nipped in wi elastic,
My powder and panstick were three inches thick,
Nails? Long, blood-rid and plastic.
So my big smile'd come across, I'd larded oan lipgloss
And my false eyelashes were mink
With a sky blue crescent that was iridescent
When I lowered my eyelids to blink.

Well I wiggled tapselteerie, my heels were that peerie
While a kinna Jimmy Shandish band
Played 'Flower of Scotland' –
But it aw got droont oot wi wolf whistles –

224

GALLUS

And that's no countin 'For These Are My Mountains'
– See I'd tits like nuclear missiles.

Then this familiar-lukkin felly
I'd seen a loat oan the telly
Interviewed me aboot my hobbies –
I says: Macrame, origami,
Being nice tae my mammy –
(Basically I tellt him a loat o jobbies).
I was givin it that
Aboot my ambition to chat
To handicapped and starvin children from other nations
– How I was certain I'd find
Travel wid broaden my mind
As I fulfilled my Miss Scotland obligations.

Well, I wis in Seventh Heaven
To be in the Final Seven –
But as the Judges retired
To do what was required
And pick the furst, second and thurd
Well, the waiting was murder and it suddenly occurred there
Was something *absurd*
Aboot the hale position
Of being in competition
Wi other burds like masel
Who I should of kennt very well
Were ma sisters (at least under the skin)
Yet fur this dubious prize I'd have to scratch oot their eyes
And hoped they'd git plooks, so I'd win!
Aye, there wis somethin ridic'lous
Aboot sookin in wi thae prickless
Wonders o judges, their winks and their nudges.
Wan wee baldy comedian bloke

The Smoky Smirr o Rain

Whose jokes were a joke:
Wan heuchter-choochter singer who wis a dead ringer
For a cross between a pig in a tartan poke
And a constipated bubblyjock:
Plus wan wellknown soak –
A member of our Sporting Fraternity
Who was guaranteed his place in Eternity
As a well-pickled former member of the Scotland Squad.
And the likes of them were Acting God,
Being Real Men,
Scoring *us* on a scale of one to ten –
They'd compare and contrast, and then at last
They'd deign to pronounce
And reverse-order-announce-it.
Then I wid simper, look sweet, an
I'd burst oot greetin
Gasp "Who me" – the usual story –
They'd plonk me down, stick on the Miss Scotland crown
To crown my crowning glory.

How would *thae guys* like to be a prize –
A cake everybody wanted a slice of –
Have every leering schoolgirl consider them a pearl
Everybody kennt the price of?
How would *they* like their mums to say that their bums
Had always attracted the Ladies' Glances,
And nothing wrang wi it, they'd aye gone alang wi it
And encouraged them to take their chances?
And they were Good Boys, their Mums' Pride & Joys,
Saving it for their Future Wives?
And despite their fame they still steyed at hame
And lived real clean-living lives?

226

GALLUS

In a blinding flash I saw the hale thing was trash
– I just Saw Rid
And here's whit I did:

– Now I'd love to report that I was the sort
To speak out and convince the other lassies
Pick bones wi aw the chaperones
And singlehandedly convert the masses
Till in a bacchanalian Revenge of the Barbie Dolls
Crying "All for One and One for All!"
We advanced on the stage, full of bloodlust and rage –
But, I cannot tell a lie, the truth is that I
Just stuck on my headsquerr and snuck away oot o therr –
I know I did right, it wisnae contrary –
And I let my oaxters grow back in
Really rid and thick and hairy.

Because the theory of feminism's aw very well
But yiv got tae see it fur yirsel
Every individual hus tae realise
Her hale fortune isnae in men's eyes,
Say enough is enough
Away and get stuffed.

Liz Lochhead

Braid Claith

Ye wha are fain to hae your name
Wrote in the bonny book of fame,
Let merit nae pretension claim
        To laurel'd wreath,
But hap ye weel, baith back and wame,
        In gude Braid Claith.

He that some ells o' this may fa,
An' slae-black hat on pow like snaw,
Bids bauld to bear the gree awa,
        Wi a' this graith,
Whan bienly clad wi shell fu braw
        O' gude Braid Claith.

Waesuck for him wha has na feck o't!
For he's a gowk they're sure to geck at,
A chiel that ne'er will be respeckit,
        While he draws breath,
Till his four quarters are bedeckit
        Wi gude Braid Claith.

On Sabbath-days the barber spark,
Whan he has done wi scrapin wark,
Wi siller broachie in his sark,
        Gangs trigly, faith!
Or to the Meadow, or the Park,
        In gude Braid Claith.

fain: keen hap: cover wame: belly he that some ells o' this may fa: he who happens
to have some lengths of this slae-black: sloe-black pow: head
bear the gree awa: carry off the prize graith: apparel bienly: finely waesuck: alas
feck: plenty gowk: fool geck: mock spark: beau siller: silver trigly: neatly
or...or: either...or

GALLUS

Weel might ye trou, to see them there,
That they to shave your haffits bare,
Or curl an' sleek a pickle hair,
         Would be right laith,
Whan pacing wi a gawsy air
            In gude Braid Claith.

If ony mettl'd stirrah grien
For favour frae a lady's een,
He maunna care for being seen
         Before he sheath
His body in a scabbard clean
            O' gude Braid Claith.

For, gin he come wi coat thread-bare,
A feg for him she winna care,
But crook her bonny mou fu sair,
         And scald him baith.
Wooers should ay their travel spare
            Without Braid Claith.

Braid Claith lends fock an unco heeze;
Makes mony kail-worms butter-flies;
Gies mony a doctor his degrees
         For little skaith:
In short, you may be what you please
            Wi gude Braid Claith.

For thof ye had as wise a snout on
As Shakespeare or Sir Isaac Newton,
Your judgment fouk would hae a dout on,
         I'll tak my aith,
Till they could see ye wi a suit on
            O' gude Braid Claith.

Robert Fergusson

trou: believe haffits: cheeks pickle: little laith: loath gawsy: showy
stirrah: fellow grien: yearn gin: if heeze: lift kail-worms: caterpillars
skaith: trouble thof: though aith: oath

The Pardoner

PARDONER
Bona dies, bona dies!
Devoit peopill, gude day I say yow.
Now tarie ane lytill quhyll, I pray yow,
  Till I be with yow knawin.
Wait ye weill how I am namit?
Ane nobill man and undefamit,
  Gif all the suith war schawin!
I am Sir Robert Rome-raker,
Ane perfite, publike pardoner,
  Admittit be the Paip.
Sirs, I sall schaw yow for my wage
My pardons and my prevelage,
  Quhilk ye sall se and graip.
I give to the Devill with gude intent
This unsell wickit New Testament,
  With them that it translatit:
Sen layik men knew the veritie
 Pardoners get no charitie,
  Without that thay debait it
Amang the wives with wrinks and wyles,
As all my marrowis men begyles
  With our fair fals flattrie.
Yea, all the crafts I ken perqueir,
As I was teichit by ane freir
  Callit Hypocrisie;
Bot now, allace, our greit abusioun
Is cleirlie knawin, till our confusioun,
  That we may sair repent.

wait: know suith: truth graip: grip, hold unsell: unholy layik men: laymen
wrinks: tricks marrowis: colleagues perqueir: thoroughly

GALLUS

Of all credence now am I quyte,
For ilk man halds me at dispyte
  That reids the New Testment.
Duill fell the braine that hes it wrocht,
Sa fall them that the Buik hame brocht;
  Als I pray to the Rude
That Martin Luther, that fals loun,
Black Bullinger, and Melancthoun,
  Had been smorde in their cude!
Be Him that buir the crowne of thorne,
I wald Sanct Paull had never bene borne,
  And als I wald his buiks
War never red into the Kirk,
Bot amang freirs into the mirk,
  Or riven amang the ruiks!

Heir sall he lay doun his geir upon ane buird and say:

My patent pardouns ye may se,
Cum fra the Khan of Tartarie,
  Weill seald with oster-schellis;
Thocht yc have na contritioun,
Ye sall have full remissioun,
  With help of buiks and bellis.
Heir is ane relict lang and braid,
Of Fine Macoull the richt chaft blaid,
  With teith and al togidder.
Of Collings cow heir is ane horne,
For eating of Makconnals corne
  Was slaine into Balquhidder.

quyte: deprived, free duill fell: sorrow strike Rude: Cross
Luther, Bullinger, Melancthoun: Protestant reformers smorde: smothered
cude: crib riven: torn up ruiks: rooks Fine Macoull: legendary Irish hero
chaft blaid: jawbone

The Smoky Smirr o Rain

Heir is ane coird baith great and lang
Quhilk hangit Jonnye Armistrang,
  Of gude hemp soft and sound:
Gude halie peopill, I stand for'd,
Quha ever beis hangit with this cord
  Neids never to be dround!
The culum of Sanct Brydis kow,
The gruntill of Sanct Antonis sow,
  Quhilk buir his haly bell:
Quha ever he be heiris this bell clinck,
Gif me ane ducat for till drink,
  He sall never gang to Hell,
Without he be of Baliell borne.
Maisters, trow ye that this be scorne?
  Cum, win this pardoun, cum!
Quha luifis thair wyfis nocht with thair hart,
I have power them for till part –
  Me think yow deif and dum!
Hes nane of yow curst wickit wyfis
That halds yow into sturt and stryfis?
  Cum, tak my dispensatioun:
Of that cummer I sall mak yow quyte,
Howbeit your selfis be in the wyte
  And mak ane fals narratioun.
Cum, win the pardoun, now let se,
For meill, for malt, or for monie,
  For cok, hen, guse or gryse!
Of relicts heir I have ane hunder;
Quhy cum ye nocht? This is ane wonder:
  I trow ye be nocht wyse!

Jonnye Armistrang: notorious Border outlaw, hanged in 1530   culum: anus
gruntill: snout   Baliell: Belial, i.e. the Devil   trow: think   sturt: trouble
cummer: woman (contemptuous)   in the wyte: at fault   gryse: young pig

GALLUS

SOWTAR

Welcum hame, Robert Rome-raker,
Our halie patent pardoner!
  Gif ye have dispensatioun
To pairt me and my wickit wyfe
And me deliver from sturt and stryfe,
  I mak yow supplicatioun.

PARDONER

I sall yow pairt but mair demand,
Sa I get mony in my hand:
  Thairfoir let se sum cunye!

SOWTAR

I have na silver, be my lyfe,
Bot fyve schillings and my schaipping knyfe:
  That ye sall have, but sunye.

PARDONER

Quhat kynd of woman is thy wyfe?

SOWTAR

Ane quick devill, sir, ane storme of stryfe,
  Ane frog that fyles the winde,
Ane fistand flag, a flagartie fuffe;
At ilk ane pant scho lets ane puffe,
  And hes na ho behind;
All the lang day scho me dispyts,
And all the nicht scho flings and flyts,
  Thus sleip I never ane wink.
That cockatrice, that common huir,

cunye: coins but sunye: without delay fyles: defiles fistand flag: belching slut
flaggartie fuffe: bad-tempered stinker ho: stop flyts: scolds

233

The Smoky Smirr o Rain

The mekill Devill may nocht induir
  Hir stuburnnes and stink!

SOWTAR'S WYFE
Theif carle, thy words I hard rycht weill!
In faith, my freindschip ye sall feill
  And I thee fang!

SOWTAR
Gif I said ocht, Dame, be the Rude,
Except ye war baith fair and gude,
  God nor I hang!
PARDONER
Fair dame, gif ye wald be ane wower,
To part yow twa I have ane power.
  Tell on, are ye content?

SOWTAR'S WYFE
Yea, that I am, with all my hart,
Fra that fals huirsone till depart,
  Gif this theif will consent.
Causses to part I have anew,
Becaus I gat na chamber-glew,
  I tell yow verely.
I mervell nocht, sa mot I lyfe,
Howbeit that swingeour can not swyfe:
  He is baith cauld and dry.

PARDONER
Quhat will ye gif me for your part?

and I thee fang: if I catch you gif I said ocht: if I said anything
huirsone: son of a whore chamber-glew: sexual intercourse swingeour: villain
swyfe: perform sexually

GALLUS

SOWTAR'S WYFE

Ane cuppill of sarks, with all my hart,
  The best claith in the land.

PARDONER

To part sen ye ar baith content,
I sall yow part incontinent,
  Bot ye mon do command.
My will and finall sentence is:
Ilk ane of yow uthers arssis kis.
Slip doun your hois. Me thinkis the carle is glaikit!
Set thou not be, howbeit scho kisse and slaik it!

Heir sall scho kis his arsse with silence.

PARDONER

Lift up hir clais; kis hir hoill with your hart.

SOWTAR

I pray yow, sir, forbid hir for to fart!

Heir sall the carle kis hir arsse with silence.

PARDONER

Dame, pas ye to the east end of the toun,
And pas ye west evin lyke ane cuckald loun.
Go hence, ye baith, with Baliels braid blessing.
Schirs, saw ye evir mair sorrowles pairting?
            Sir David Lyndsay, Ane Pleasant Satyre of the Thrie Estaitis

sarks: shirts

Andrew Melville and King James

[1596] Sa, Messrs Andro Melvill, Patrik Galloway, James Nicolsone, and I, cam to Falkland, whar we fand the King verie quyet. The rest leyed upon me to be speaker, alleaging I could propone the mater substantiuslie, and in a myld and smothe maner, quhilk the King lyked best of. And, entering in the Cabinet with the King alan, I schew his Majestie, That the Commissionars of the Generall Assemblie, with certean uther breithring ordeanit to watche for the weill of the Kirk in sa dangerous a tym, haid convenit at Cowper. At the quhilk word the King interrupts me, and crabbotlie quarrels our meitting, alleaging it was without warrand and seditius, making our selves and the countrey to conceave feir whar thair was na cause. To the quhilk, I beginning to reply, in my maner, Mr Andro doucht nocht abyd it, bot brak af upon the King in sa zealus, powerfull, and unresistable a maner, that whowbeit the King used his authoritie in maist crabbit and colerik maner, yit Mr Andro bure him down, and outtered the commission as from the mightie God, calling the King bot "God's sillie vassall"; and, taking him be the sleive, sayes this in effect, throw mikle hat reasoning and manie interruptiones: "Sir, we will humblie reverence Your Majestie alwayes, namelie in publict: but sen we have this occasioun to be with Your Majestie in privat, and the treuthe is, yie ar brocht in extream danger bathe of your lyff and croun…we mon discharge our dewtie thairin, or els be trators, bathe to Christ and yow! And, thairfor, Sir, as divers tymes befor, sa now again, I mon tell yow, thair is twa kings and twa kingdomes in Scotland. Thair is Chryst Jesus the King, and his kingdom the Kirk, whase subject King James the Saxt is, and of whase kingdome nocht a king, nor a lord, nor a heid, bot a member. And they whome Chryst hes callit and commandit to watch over his Kirk, and governe his spirituall kingdome, hes sufficient powar of him, and authoritie sa to do, bathe togidder and severalie, the quhilk na Christian King nor Prince sould controll and discharge, but fortifie and assist, utherwayes nocht faithfull subjects nor members of Chryst."

James Melville, Autobiography and Diary

leyed: laid   weill: health   crabbotlie: angrily   doucht nocht: could not
outtered: uttered   mikle hat: much hot

The Coming of the Wee Malkies

Whit'll ye dae when the wee Malkies come,
if they dreep doon affy the wash-hoose dyke,
an pit the hems oan the sterrheid light,
an play wee heidies oan the clean close-wa,
an bloo'er yir windae in wi the baw,
missis, whit'll ye dae?

Whit'll ye dae when the wee Malkies come,
if they chap yir door an choke yir drains,
an caw the feet fae yir sapsy weans,
an tummle thur wulkies through yir sheets,
an tim thur ashes oot in the street,
missis, whit'll ye dae?

Whit'll ye dae when the wee Malkies come,
if they chuck thur screwtaps doon the pan,
an stick the heid oan the sanit'ry man;
when ye hear thum shauchlin doon yir loaby,
chantin, "Wee Malkies! The gemme's a bogey!"
Haw, missis, whit'll ye dae?

Stephen Mulrine

dreep: lower oneself at full stretch   pit the hems oan: put out of action
tummle thur wulkies: turn somersaults   tim: empty   shauchlin: shuffling

Cabaret McGonagall

Come aa ye dottilt, brain-deid lunks,
ye hibernatin cyber-punks,
gadget-gadjies, comics-geeks,
guys wi perfick rat's physiques,
fowk wi fuck-aa social skills,
fowk that winnae tak thir pills:
gin ye cannae even pley fuitball
treh thi Cabaret McGonagall.

Thi décor pits a cap oan oorie,
ut's puke-n-flock à la Tandoori;
there's a sculpture made frae canine stools,
there's a robot armadillo drools
when shown a photie o thi Pope,
and a salad spinner cerved fae dope:
gin ye cannae design a piss oan thi wall
treh thi Cabaret McGonagall.

We got: Clangers, Blimpers, gowks in mohair jimpers,
Bangers, Whimpers, cats wi stupit simpers –
Ciamar a thu, how are you, and hoozit gaun pal,
welcome to thi Cabaret Guillaume McGonagall.
We got: Dadaists, badass gits, shits wi RADA voices,
Futurists wi sutured wrists and bygets o James Joyce's –
Bienvenue, wha thi fuck are you, let's drink thi nicht away,
come oan yir own, or oan thi phone, or to thi Cabaret.

dottilt: daft, confused   oorie: dirty, tasteless   gowks: fools

GALLUS

Come aa ye bards that cannae scan,
fowk too scared tae get a tan,
come aa ye anxious-chicken tykes
wi stabilisers oan yir bikes,
fowk whas mithers waash thir pants,
fowk wha drink deodorants:
fowk that think they caused thi Fall
like thi Cabaret McGonagall.

Fur aa that's cheesy, static, stale,
this place gaes sae faur aff thi scale
on ony Wigwam Bam-meter
mimesis wad brak thi pentameter;
in oarder tae improve thi species' genes,
ye'll find self-oaperatin guillotines:
bring yer knittin, bring yer shawl
tae thi Cabaret McGonagall.

We got: Berkoffs, jerk-offs, noodles wi nae knickers,
Ubuists, tubes wi zits, poodles dressed as vicars –
Gutenaben Aiberdeen, wilkommen Cumbernauld,
thi dregs o Scoatlan gaither at Chez McGonagall.
We got: mimes in tights, a MacDiarmidite that'iz ainsel contradicts,
kelpies, selkies, grown men that think they're Picts –
Buonaserra Oban and Ola! tae aa Strathspey,
come in disguise jist tae despise thi haill damn Cabaret.

Panic-attack Mac is oor DJ,
thi drugs he tuke werr aa Class A,
sae noo he cannae laive thi bog;
thon ambient soond's him layin a log.

kelpies: river spirits in the shape of horses   selkies: seals which can take on human
form

The Smoky Smirr o Rain

Feelin hungry? sook a plook;
thi son o Sawny Bean's oor cook:
gin consumin humans diz not appal
treh thi Bistro de McGonagall.

Waatch Paranoia Pete pit speed
intil auld Flaubert's parrot's feed,
and noo ut's squaakin oot in leids
naebody kens till uts beak bleeds
and when ut faas richt aff uts perch,
Pete gees himsel a boady search:
thi evidence is there fur all
at thi Cabaret McGonagall.

We got: weirdos, beardos, splutniks, fools,
Culdees, bauldies, Trekkies, ghouls –
Airheids fae thi West Coast, steely knives and all,
welcome to thi Hotel Guillaume McGonagall.
We got: Imagists, bigamists, fowk dug up wi beakers,
lit.mag.eds, shit-thir-beds, and fans o thi New Seekers –
Doric loons wi Bothy tunes that ploo yir wits tae clay;
ut's open mike fur ony shite doon at thi Cabaret.

Alpha males ur no allowed
amang this outré-foutery crowd
tho gin they wear thir alphaboots
there's nane o us can keep thum oot,
an damn-aa wimmen care tae visit,
and nane o thum iver seem tae miss it:
gin you suspeck yir dick's too small
treh thi Cabaret McGonagall.

leids: languages   Culdees: members of the Columban church   loons: young men
Bothy tunes: ballads from the rural North-East   ploo: plough
foutery: excessively fussy

240

GALLUS

There's dum-dum boys wi wuiden heids
and Myrna Loy is snoggin Steed,
there's wan drunk wearin breeks he's peed –
naw – thon's thi Venerable Bede;
in fack thon auld scribe smells lyk ten o um,
he's no cheenged'iz habit i thi last millennium:
gin thi wits ye werr boarn wi hae stertit tae stall
treh thi Cabaret McGonagall.

We got: Loplops and robocops and Perry Comatose,
Cyclops and ZZ Top and fowk that pick thir nose –
Fare-ye-weel and cheery-bye and bonne nuit tae you all,
thi booncirs think we ought tae leave thi Club McGonagall.
But we got: Moptops and bebop bats and Krapp's Last Tapeworm friends,
Swap-Shop vets and neurocrats, but damn-aa sapiens –
Arrevederchi Rothesay, atque vale tae thi Tay,
Eh wish that Eh hud ne'er set eye upon this Cabaret.
W.N. Herbert

LOVE (III)

The Coming of Love

Bewailing in my chamber thus allone,
  Despeired of all joye and remedye,
Fortirit of my thoght, and woebegone,
  Unto the window gan I walk in hye
  To se the warld and folk that went forby.
As for the tyme, though I of mirthis fude
Myght have no more, to luke it did me gude.

Now was there maid fast by the touris wall
  A gardyn fair, and in the corneris set
Ane herber grene with wandis long and small
  Railit about; and so with treis set
  Was all the place, and hawthorn hegis knet,
That lyf was none walking there forby
That myght within scarse ony wight aspye:

fortirit: tired gan: began hye: high herber: arbour wight: man

LOVE (III)

So thik the bewis and the leves grene
  Beschadit all the aleyes that there were.
And myddis every herber myght be sene
  The scharp grene swete jenepere,
  Growing so fair with branchis here and there,
That (as it semyt to a lyf without)
The bewis spred the herber all about.

And on the smalle grene twistis sat
  The lytill swete nightingale, and song
So loud and clere the ympnis consecrat
  Of lufis use, now soft, now loud among,
  That all the gardyng and the wallis rang
Ryght of their song and of the copill next
Of their swete harmony; and lo! the text:

Cantus:
Worschippe, ye that loveris bene, this May,
  For of your blisse the kalendis ar begonne,
And sing with us, "Away, winter, away!
  Cum, somer, cum, the swete sesoun and sonne!
  Awake for schame! that have your hevynnis wonne,
And amorously lift up your hedis all:
Thank Lufe, that list you to his mercy call."

Quhen thai this song had song a lytill thrawe,
  Thai stent a quhile, and therewith unaffraid
(As I beheld and kest myn eyne alawe)
  From beugh to beugh thay hippit and thai plaid,
  And freschly in thair birdis kynd arraid
Thair fetheris new, and fret thame in the sonne,
And thankit Lufe that had thair makis wonne.

bewis: boughs aleyes: alleys, paths myddis: amidst jenepere: juniper
twistis: twigs ympnis: hymns copill: verse kalendis: first days thrawe: while
stent: ceased alawe: below hippit: hopped fret: preened makis: mates

243

The Smoky Smirr o Rain

This was the plane ditee of thair note,
  And therwithall unto myself I thoght:
"Quhat lyf is this, that makis birdis dote?
  Quhat may this be, how cummyth it of ought?
  Quhat nedith it to be so dere ybought?
It is nothing, trowe I, bot feynit chere,
And that men list to conterfeten chere."

Eft wald I think: "O lord, quhat may this be,
  That Lufe is of so noble myght and kynde,
Lufing his folk? And such prosperitee,
  Is it of him, as we in bukis fynd?
  May he oure hertes setten and unbind?
Hath he upon oure hertis such maistrye?
Or all this is bot feynyt fantasye?

"For gif he be of so grete excellence
  That he of every wight hath cure and charge,
Quhat have I gilt to him or doon offense,
  That I am thrall, and birdis gone at large,
  Sen him to serve he myght set my corage?
And gif he be noght so, than may I seyne,
Quhat makis folk to jangill of him in veyne?

"Can I noght elles fynd, bot gif that he
  Be lord, and as a god may lyve and regne,
To bynd and louse, and maken thrallis free,
  Than wold I pray his blisfull grace benigne
  To hable me unto his service digne;
And evermore for to be one of tho
Him trewly for to serve in wele and wo."

feynit: pretended, illusory maistrye: mastery thrall: slave, prisoner sen: since
seyne: say louse: set loose hable: make competent digne: worthy

LOVE (III)

And therwith kest I doun myn eye ageyne,
  Quhare as I sawe, walking under the tour,
Full secretly new cummyn hir to pleyne,
  The fairest or the freschest yonge floure
  That ever I sawe, me thoght, before that houre.
For quhich sodayn abate anon astert
The blude of all my body to my hert.

And though I stude abaisit tho a lyte,
  No wonder was: for quhy, my wittis all
Were so ouercom with plesance and delyte,
  Onely throu latting of myn eyen fall,
  That sudaynly my hert became hir thrall
For ever, of free wyll, for of manace
There was no takyn in hir swete face.

And in my hede I drewe ryght hastily,
  And eft-sones I lent it forth ageyne
And saw hir walk, that verray womanly,
  With no wight mo, bot onely wommen tweyne.
  Than gan I study in myself and seyne;
"A, swete, ar ye a warldly creature,
Or hevinly thing in liknesse of nature?

"Or ar ye god Cupidis owin princesse,
  And cummyn ar to louse me out of band?
Or ar ye verray Nature the goddesse,
  That have depaynted with your hevinly hand
  This gardyn full of flouris, as they stand?
Quhat sall I think, allace! quhat reverence
Sall I minister to your excellence?

pleyne: play, be amused   sodayn abate anon astert: suddenly withdrew and then
returned abaisit: abashed lyte: little manace: menace takyn: token
eft-sones: soon after tweyne: two band: bondage

The Smoky Smirr o Rain

"Gif ye a goddesse be, and that ye like
  To do me payne, I may it noght astert.
Gif ye be warldly wight that dooth me sike,
  Quhy lest God mak you so, my derrest hert,
  To do a sely prisoner thus smert,
That lufis you all and wote of noght bot wo?
And therfor, mercy, swete, sen it is so!"

Quhen I a lytill thrawe had maid my mone,
  Bewailling myn infortune and my chance,
Unknawin how or quhat was best to done,
  So ferr I fallyn was in lufis dance,
  That sodeynly my wit, my contenance,
My hert, my will, my nature and my mynd,
Was changit clene right in anothir kynd.
                James I, The Kingis Quair

astert: escape   dooth me sike: makes me sigh   sely: feeble   wote: knows

246

Sonnet

My love grows, and yet mair on mair shall grow
As lang as I hae life: O happy pairt,
Alane tae haud a place in that dear hairt
Tae which in time my love itsel shall show
Sae clear that he can nane misdoot me then!
For him I will staun stieve agin sair fate,
For him I will strive for the heichest state,
And dae sae muckle for him he shall ken
I naething hae – nae gowd, nae gear, nae pleisure –
But tae obey and serve him in haill meisure.
For him I hope for aw guid chance and graith;
For him I will me keep baith quick and weel;
True smeddum I desire for him and feel,
And niver will I change while I hae braith.

Mary, Queen of Scots, 'Mon amour croist, et plus en plus croistra',
translated by James Robertson

nane misdoot me: doubt me not at all   stieve: strong, sturdy   heichest: highest
gowd: gold   graith: wealth, possessions   smeddum: spirit, courage

Sonnet

(CUPID AND VENUS)

Fra banc to banc, fra wod to wod I rin,
  Ourhailit with my feble fantasie,
  Like til a leif that fallis from a trie
Or til a reid ourblawin with the win'.

Twa gods gydes me; the ane of them is blin –
  Yea, and a bairn brocht up in vanitie –
  The nixt a wyf ingenrit of the sea,
And lichter nor a dauphin with hir fin.

Unhappie is the man for evirmaire
  That teils the sand and sawis in the aire;
  Bot twyse unhappier is he, I lairn,
That feidis in his hairt a mad desyre,
And follows on a woman throw the fyre,
  Led be a blind and teichit be a bairn.

                              Marc Alexander Boyd

ourhailit: oppressed   ourblawin: blown over   ingenrit: born, engendered
dauphin: dolphin   teils: tills

Echo

To thee, Echo, and thou to me agane
In the deserts among the wods and wells
Whair destinie hes bund thee to remane
But company within the firths and fells,
Let us complene, with wofull youts and yells
On shaft and shooter that our hairts hes slane:
To thee, Echo, and thou to me agane...

Som thing, Echo, thou hes for to rejose
Suppose Narcissus somtyme thee forsook.
First he is dead syne chang\`ed in a Rose,
Whom thou nor nane hes pouer for to brook.
Bot be the contrair everie day I look
To sie my love attrapit in a trane.
From me Echo and nevir come agane.

Nou welcome Echo patience perforce.
Anes eviry day with murning let us meet,
Thy love nor myne in mynds haif no remorse:
We taist the sour that nevir felt the sweet.
As I demand then answeir and repeit.
Let teirs aboundant ou'r our visage rane:
To thee Echo and thou to me agane.

What lovers (Echo) maks sic querimony? Mony.
What kynd of fyre doth kindle thair curage? Rage.
What medicine O Echo knowis thou ony? Ony?
Is best to stay this Love of his Passage? Age.
What merit thay that culd our sighs assuage? Wage.
What wer we first in this our love profane? Fane.
Whair is our joy O Echo tell againe. Gane!

Alexander Montgomerie

but company: without company   youts: cries   brook: enjoy or endure   trane: trap
ou'r: over   querimony: complaint   fane: fond

Echo an Narcissus

Echo wis a nymph that luved Narcissus:
"Come on, come on, ma bonnie boy, an kiss us
Whaur it hurts me noo, an mak the hurtin flee."
But Nark wis deif an blin tae her, cud see
Only his ain braw image in the cool
Dark keekin-gless that wis the river's pool.

"Come on an sclim the braes wi me," she'd cry,
"We'll fin a heather-bed an there we'll lie…"
Hoo cud Narcissus faw intae her spell,
That taen wis he wi fawin for himsel?
His passion took the line o least resistance:
While Echo fadit oot o luggin distance,
Her vyce declinin wi each passin oor,
The boy transmogrified intae a flouer.

An noo in spring the river's banks are thrang
Wi daffodils that luvers lie amang,
Wha whiles mey hae their herts unhoolit there
Wi whispers o a tint luve in the air.

James Robertson

keekin-gless: mirror   sclim: climb   luggin: hearing   thrang: crowded
whiles: sometimes   unhoolit: unnerved   tint: lost

SCOTLAND

Scottish Pride

It's fine when ye stand in a queue
at the door o' the "Dole"
on a snawy day,
To ken that ye leive in the bonniest
land in the world,
The bravest, tae.

It's fine when you're in a pickle
Whether or no'
you'll get your "dough",
To sing a wee bit sang
o' the heather hills,
And the glens below.

It's fine when the clerk says,
"Nae 'dole' here for you!"
To proodly turn,
and think o' the bluidy slashin'
the English got
at Bannockburn.

Joe Corrie

Lucky Bag

Tattie scones, St Andra's bane, a rod-and-crescent
Pictish stane; a field o whaups, organic neeps,
a poke o Brattisani's chips; a clootie well,
computer bits, an elder o the wee free Kirk;

a golach fi Knoydart, a shalwar-kameez;
Dr Simpson's anaesthetics, zzzzzzz,
a gloup, a clachan, a Broxburn bing,
a giro, a demo, Samye Ling; a ro-ro

in the gloaming, a new-born Kirkcaldy baby-gro;
a Free State, a midden, a chambered cairn:
– yer Scottish lucky-bag, one for each wean;
please form an orderly   rabble.

Kathleen Jamie

The Atholl Hunt

Hou the king [James V] passit to the hieland to the hunting. Hou the erle of Athole maid ane curius pallice. Hou the erle of Athole maid ane bancatt to the king. The erle of Atholes expensis. Hou mony wyld bestis the king sleu in the hieland at this tyme.

And efter this the king remanit in the castell sum tymes mekill of the winter tyde. Syne the nixt sommer passit to the hieland to hunt in Atholl and tuik witht him his mother Margarit quen of Scottland and ane ambassadour of the paipis quho was in Scottland for the tyme.

The Earle of Atholl heirand of the kingis coming maid anc grcat provisioun ffor him in all things pertening to ane prince, that he was as weill servitt and eassit witht all thingis necessar pertening to his estaitt as he had bene in his awin palice in Edinburgh. He wantit no thing ffor I hard say this nobill Earle of Atholl gart mak ane curieous palice to the king… quhilk was buildit in the midis of ane fair medow ane faire palice of greine tymmer wond witht birkis that war grein batht under and abone, quhilk was fesnitt in foure quarteris and everie quarter and nuike thairof ane greit round as it had bene ane blokhouse quhilk was loftit and jestit the space of thrie house hight; the fluir laid witht greine cherittis witht sprattis medwartis and flouris. Then no man knew quhairon he yeid bot as he had bene in ane gardin. Farder thair was twa great roundis in ilk syde of the yeit and ane greit portculis of trie falland doune the maner of ane barrace witht ane greit draw brege, and ane great fowsie and strak of watter sextene foot deipe and xxx futte braid of watter and also this palice withtin was weill syllit and hung with fyne tapistrie and arrasis of silk, and sett and lightit with fyne glassin wondowis in all airttis [so] that this palice was allis pleisantlie decoirit witht all necessaris pertenand to ane prince as it had bene his awin palice royall at hame.

Farder this earle gart mak sic provitioun ffor the king and his mother and that stranger the ambassadour that thai had all maner of meittis, drinkis, deliccattis that was to be gottin at that tyme in all Scottland either in burght or in land that might be gottin for money; that is to say, all kynd of drink, as aill, beir, wyne, batht quhyte wyne and clairit, mallvesie musticat and allacant, inchethrist and accqquitie. Ffarder thair was of meittis, of breid quhyte breid maine breid and gingebreid, witht flesches, beif, muttun, lambes, cuning, cran, swan, wile guse, pertrick and plever, duke, Brissill cok and powins togither witht blak cok and murefoull and cappercallzes; and also the stankis that was round about the palice was sowmond full of all deliecat fisches, as sallmond, troutis and perches, pykis and eilis and all uther kynd of deliecat fisches that could be gottin in fresche watteris was all redy to be prepairit for the bancat. Syne was thair proper stewartis and cuning baxteris and also excellent cuikis and potiseris witht confectiounis and drogis ffor thair desairtis.

All thir thingis beand in order and prepairit as I have schawin, hallis, chameris and witht costlie beding, weschell and naiperie according for ane king, nathing deminischit of his ordour more nor he had bene at hame in his awin palice. The king remanit in this present wildernes at the huntting the space of thrie dayis and thrie nightis, and his companie as I have schawin to yow affoir. I hard men say that everie day was the Earle of Atholl in expensis ane thowsand pound.

This ambassadour of the paipis seand this great bancat and treumph being maid in ane wildernes, quhair thair was not toune neir be xx myle, thocht it ane great mervell that sic ane thing sould be in Scotland considerand that it was bot the erse of the warld be uther contries, thair sould be sic honestie and polliecie in it and spetiall in the hieland, quhair thair is bot wode and wildernes. Bot maist of all this ambassadour mervellit quhene the king depairtit and all his men tuike thair leif, the hieland men sett all this fair palice in ane fyre that the king and his ambassadouris might sie thame. Then the ambassadour said to the king, "I mervell that ye sould tholl yone fair palice to be brunt that your grace hes ben so weill ludgit into." Than the king answerit the ambassadour and said, "it is the use of our hielandmen thocht thay be never so weill ludgit, to burne thair ludging quhene they depairt." This being done, the king turnit to Dunkell that

night and on the morne to St. Johnstoun. I hard say the king at that
tyme in the boundis of Atholl and Stretherne, that is to say Benglow,
Beneurne and Bencruine, betwix the hillis and in the boundis forsaidis
slew xxx scoir of heartis and hyndis witht uther small beistis as re and
rebuke, wolf and fox, and wyldcattis.

Robert Lindsay of Pitscottie,
The Historie and Croniclis of Scotland

tymmer: timber   birks: birches   fesnitt: fastened   jestit: joisted   cherittis: turfs
sprattis: rushes   medwartis: meadow-sweets   yeid: went   yeit: gate   barrace: barrage
fowsie: fosse, defensive ditch   strak: stretch   syllit: ceilinged
arrasis: a kind of tapestry from Arras   airttis: parts   in burght or in land: in town or
country   musticat, allacant, inchethrist, accqquitie: i.e. Muscatel, Alicante,
Hippocras, Aqua Vitae   maine breid: almond bread   cuning: rabbit   cran: crane or
heron   pertrick: partridge   plever: plover   duke: duck   Brissill cock: perhaps turkey
powins: peafowl   stankis: ponds   sowmond: swimming   eilis: eels   baxters: bakers
potisieris: patissiers   weschell: vessels, plates   tholl: allow   use: custom
re and rebuke: roe and roebuck

Scots Wha Hae

(BRUCE'S ADDRESS BEFORE BANNOCKBURN)

Scots, wha hae wi' Wallace bled,
Scots, wham Bruce has aften led,
Welcome to your gory bed
   Or to victorie!

Now's the day, and now's the hour:
See the front o' battle lour,
See approach proud Edward's power –
   Chains and slaverie!

Wha will be a traitor knave?
Wha can fill a coward's grave?
Wha sae base as be a slave? –
   Let him turn, and flee!

Wha for Scotland's King and Law
Freedom's sword will strongly draw,
Freeman stand, or freeman fa',
   Let him follow me!

By Oppression's woes and pains,
By your sons in servile chains,
We will drain our dearest veins
   But they shall be free!

Lay the proud usurpers low!
Tyrants fall in every foe!
Liberty's in every blow!
   Let us do, or die!
     Song by Robert Burns

Ah hate the Scots

We're drinking on a balcony bar, and our attention is caught by a squad of nutters entering the crowded pub below. They swagger in, noisy and intimidating.

Ah hate cunts like that. Cunts like Begbie. Cunts that are intae baseball-batting every fucker that's different; pakis, poofs, n what huv ye. Fuckin failures in a country ay failures. It's nae good blamin it oan the English fir colonising us. Ah don't hate the English. They're just wankers. We are colonised by wankers. We can't even pick a decent, vibrant, healthy culture to be colonised by. No. We're ruled by effete arseholes. What does that make us? The lowest of the fuckin low, the scum of the earth. The most wretched, servile, miserable, pathetic trash that was ever shat intae creation. Ah don't hate the English. They just git oan wi the shite thuv goat. Ah hate the Scots.

Irvine Welsh, Trainspotting

Scotland

Atween the world o' licht
And the world that is to be
A man wi' unco sicht
Sees whaur he canna see:

Gangs whaur he canna walk:
Recks whaur he canna read:
Hauds what he canna tak:
Mells wi' the unborn dead.

Atween the world o' licht
And the world that is to be
A man wi' unco sicht
Monie a saul maun see:

Sauls that are sterk and nesh:
Sauls that wud dree the day:
Sauls that are fain for flesh
But canna win the wey.

Hae ye the unco sicht
That sees atween and atween
This world that lowes in licht:
Yon world that hasna been?

It is owre late for fear,
Owre early for disclaim;
Whan ye come hameless here
And ken ye are at hame.

William Soutar

unco: uncommon, superordinary   recks: takes heed   mells: mingles   maun: must
sterk: hard, strong   nesh: soft, tender   dree: fear   lowes: glows

FLYTE

Fause Friend

Ye're dooble-jinted, soople-sawled,
An' slithery as an eel,
There's nane can lippen tae your word,
Ye twa-faced deil.

But wait, ma birkie cheat-the-wud,
Ye'll no' aye jouk the lawin,
There's ane will mak' ye keep your pact
Some punctual dawin.

Ye've riped the pirlie mony's the time
Withooten skaith;
There's ane will tak' your measure yet
As sure as Daith.
                    Helen Cruickshank

lippen: trust   birkie: bold   cheat-the-wud: one who deserves to be hanged
jouk the lawin: avoid the bill or reckoning   riped the pirlie: robbed the cash-box
skaith: harm

The Flyting Between Montgomerie and Polwart

Extract 1: Montgomerie to Polwart

Polwart, yee peip like a mouse amongst thornes;
Na cunning yee keepe; Polwart, yee peip;
Ye look like a sheipe and yee had twa hornes:
Polwart, ye peipe like a mouse amongst thornes.

Beware what thou speiks, little foule earth tade,
With thy Cannigate breiks, beware what thou speiks,
Or there sal be weit cheiks for the last that thou made:
Beware what thou speiks, little foule earth tade.

Foule mismade mytting, born in the Merse,
By word and by wrytting, foule mismade mytting,
Leave aff thy flytting, come kisse my erse,
Foule mismade mytting, borne in the Merse.

And we mell thou sall yell, little cultron cuist;
Thou salt tell even thy sell, and we mell thou salt yell.
Thy smell was sa fell, and stronger than muist;
And wee mell thou sall yell, little cultron cuist.

Thou art doeand and dridland like ane foule beast;
Fykand and fidland, thou art doeand and dridland,
Strydand and stridland like Robin red-brest:
Thou art doeand and dridland like ane foule beast.

peip: squeak   Cannigate breiks: breeks running with filth like the Canongate
mytting: runt   Merse: low-lying lands of Berwickshire   flytting: mutually abusive
poetic contest   mell: mix, engage   cultron cuist: vile rascal   muist: musk
doeand and dridland: discharging and shitting   fykand and fidland: itching and
fiddling   strydand and stridland: striding and straddling

FLYTE

Extract 2: Polwart to Montgomerie

Despitfull spider! poore of spreit!
Begins with babling me to blame?
Gowke, wyt mee not to gar thee greit;
Thy tratling, truiker, I sall tame.
When thou beleeves to win ane name,
Thou sall be banisht of all beild,
And syne receive baith skaith and shame,
And sae be forced to leave the field.

Thy ragged roundels, raveand royt,
Some short, some lang, some out of lyne,
With scabrous colours, fulsom floyt,
Proceidand from an pynt of wyne,
Quhilke halts for laike of feete like myne –
Yet, foole, thou thought na shame to wryte them,
At mens command that laikes ingyne,
Quhilke, doytted dyvours! gart thee dyte them.

Bot, gooked goose, I am right glaide
Thou art begun in write to flyte.
Sen lowne thy language I have laide,
And put thee to thy pen to write,
Now, dog, I sall thee sa dispyte,
With pricking put thee to sike speid,
And cause thee, curre, that warkloome quite,
Syne seeke an hole to hide thy heide.

spreit: spirit gowke: fool wyt: blame tratling: idle talk truiker: trickster
beild: shelter skaith: harm raveand royt: raving babbler floyt: flatterer
doytted dyvours: stupid bankrupts dyte: compose gooked: foolish lowne: low
sike: such warkloome: instrument, pen quite: quit

The Smoky Smirr o Rain

Extract 3: Montgomerie to Polwart

Vyld venymous viper, wanthreivinest of thingis,
Half ane elph, half ane aip, of nature denyit,
Thow flyttis and thow freittis, thou fartis and thow flingis;
Bot this bargane, unbeist, deir sall thow buy it.
"The kuif is weill wairit that twa home bringis,"
This proverb, peild pellet, to thee is applyit:
Spruug speidder of spyt thow spewis furth springis;
Wanschaippin wowbat of the weirdis invyit,
I can schaw how, whair and what begate thee;
   Whilk wes nather man nor wyf,
   Nor humane creature on lyf;
   Fals stinkand steirar up of stryf,
    Hurkland howlat, have at thee!

Into the hinderend of harvest, on ane alhallow evin,
When our goode nichtbouris ryddis, if I reid richt,
Sum buklit on ane bynwyd and sum on ane bene,
Ay trippand in trowpis fra the twie-licht;
Sum saidlit ane scho aip all grathit into grene,
Sum hobling on hempstaikis, hovand on hicht.
The king of pharie, with the court of the elph quene
With mony alrege incubus, ryddand that nicht.
Thair ane elph, and ane aip ane unsell begate,
   In ane peitpot by Powmathorne;
   That brachart in ane buss wes borne;
   They fand ane monstour on the morne,
    War facit nor ane cat.

Alexander Montgomerie and Sir Patrick Hume of Polwarth

wanthreivinest: most stunted   unbeist: unnatural monster   the kuif is weill wairit that
twa home bringis: the blow that gets two in return is well spent   peild pellet: baldhead
spruug: brisk   wanschaippin wowbat of the weirdis invyit: misshapen oobit (grub)
despised by the fates   hurkland howlat: cowering owlet   oor goode nichtbouris: the
fairies   buklit: mounted   bunwyd: ragweed   scho aip: she-ape   grathit: clad
hovand on hicht: rising on high   alrege: eldritch, unearthly   unsell: wretch
peitpot: peatbog hole   brachart: brat   buss: bush   war facit: worse-looking

Parliamentary Language

Some examples of Scots words and phrases reported in the first session of the modern Scottish Parliament (1999–2003)

1. 1707 was the end of an auld sang. (Dr Winnie Ewing, 12.5.99, 6)
2. This is the start of a new sang. (Sir David Steel, 12.5.99, 9)
3. Ah telt ye (Kenny MacAskill, 2.6.99, 187)
4. Gie us the money (David McLetchie, 2.6.99, 172)
5. A bit of a pauchle (Colin Campbell, 3.6.99, 246)
6. A platform for ritual girning (John Home Robertson, 3.6.99, 251)
7. I am sookin in with the boss (Ian Jenkins, 16.06.99, 468)
8. fair drookit (Donald Dewar, 17.06.99, 524) ("drookit" also used by Lyndsay McIntosh, 17.06.99, 1/539; Fergus Ewing, 17.06.99, 542)
9. a complete boorach (Bruce Crawford, 17.06.99, 554) (*misreported in The Scotsman as "Gourock"*)
10. I didnae know that he was here, right enough. (Tommy Sheridan, 17.06.99, 627)
11. gave youse a gubbing (Tommy Sheridan, 24.06.99, 756)
12. for one who is hirpling around the city (Christine Grahame, 24.6.99, 771)
13. "It wisnae me; I wisnae there" (Roseanna Cunningham, 2.9.99, 79)
14. "Everyone is wrang but our Jim" (Kenny MacAskill, 2.9.99, 96)
15. the gallus nature of Glasgow (Des McNulty, 2.9.99, 170)
16. What is contained in the document is cauld kail het up. (Kenny MacAskill, 9.9.99, 306)
17. our sheriffs are not all bampots (Christine Grahame, 23.9.99, 718)
18. …even although the First Minister might feel tempted to bury the hatchet in John Reid's heid. (Dennis Canavan, 30.9.99, 954)

19. away hame and think again (Alex Neil, 7.10.99, 1118)
20. tak tent of that phrase (Margaret Ewing, 7.10.99, 1127)
21. sit doon, keep quiet and dae whit ye're telt (Bruce Crawford, 7.10.99, 1134)
22. Tony Blair, a big feartie (David McLetchie, 28.10.99, 148)
23. the figure of plus 15 will disappear like snaw aff the proverbial (Kay Ullrich, 3.11.99, 263)
24. During the election, there was a stushie – if I may use Ian's word – about Labour trying to attract votes by publicising investment in a sports academy. I remember glossy pictures of people playing keepie-uppie and so on (Michael Russell, Education, Culture and Sport Committee, 9.11.99, 250)
25. hanging a good soundbite on a shoogly peg (Jamie Stone, 11.11.99, 535)
26. tell you to away and bile yer heid (Brian Monteith, Procedures Committee, 16.11.99, 187)
27. We have all got guid Scots tongues in wir heids (Gil Paterson, Procedures Committee, 16.11.99, 188)
28. the various rammies and stushies going on behind the scenes (Paul McManus [BECTU], Enterprise, Culture and Sport Committee, 23.11.99, 339)
29. not just the high heid yins, but ordinary back benchers such as myself (Jamie Stone, 2.2.00, 646)
30. What I am saying is that we have heard spin after spin. In fact, ministers are like a bunch of peeries now, they are spinning that much. (Bruce Crawford, 3.2.00, 704)
31. I did not have the pleasure of seeing that particular edition of *Newsnight*, which seems to have been a splendid intellectual version of a good-going stair-heid brawl. (Donald Dewar, 10.2.00, 1003)
32. the mither tongue of at least 1.5 million Scots (Irene McGugan, 16.2.00, 1085)
33. I dinna ken fit tae dee – heid or hert? (Nora Radcliffe, 16.2.00, 1095)

34. I canna see me changin ma wey o thinkin. (Alex Johnstone, 16.2.00, 1097)

35. Our bairns are speaking Scots (Cathy Peattie, 16.2.00, 1097)

36. Fit is so wrang wi wantin to speir as part o the census aboot foo much money we mak and fit wye we speak at hame. I cannae see oniethin wrang wi that. I havenae heard onie argument today that persuades me itherwise. I am quite happy to speak in Scots, but I know that the Presiding Officer will rule me oot o order if I do much mair. (Brian Adam, 16.2.00, 1106)

37. It is the wye I wid speak at hame. I am quite happy to dae that. (Brian Adam, 16.2.00, 1106)

38. I think that the Executive is deaved by legal problems (Annabel Goldie, 17.2.00, 1238)

39. To drap a hammer on wir foot (Alan Ritchie [Union of Construction, Allied Trades and Technicians], 21.2.00, Social Inclusion, Housing and Voluntary Sector Committee, 679)

40. Yeez can dae it nae bother (Jim Lennox, Social Inclusion, Housing and Voluntary Sector Committee, 21.2.00, 707)

41. a considerable stramash among the crofting industry (Jamie Stone, 24.2.00, 147)

42. Aye – that'll be right. (Kenny MacAskill, 23.3.00, 982)

43. to get out from Edinburgh a little more and to visit the airts and pairts of the country (Archy Kirkwood [MP for Roxburgh and Berwickshire], Public Petitions Committee, 27.3.00 293)

44. Facts are chiels; he should face up to them. (David McLetchie, 11.5.00, 592)

45. the year that is awa. (Jim Wallace, 6.7.00, 1236)

46. furth of Scotland's shores (Mike Russell, Education, Culture and Sport Committee, 6.9.00, 1320)

47. That feenishes oor debate. Ah noo close this meetin o the Pairliament. (George Reid, 7.9.00, 188)

48. When my grandmother burned her girdle scones, she would cut up the farls as usual for the tea table... "Aye turn the bonnie side tae London." Today, I hope that the Scottish housewife in

similar plight would say, "Aye turn the bonnie side tae Embro!" (Father George Thompson [St Peter's Catholic Church, Dalbeattie], 27.9.00, 639)

49. Haud yer wheesht (Fergus Ewing, 28.9.00, 721)

50. haud on (Christine Grahame, 28.9.00, 747)

51. the document…is self-congratulatory, navel-gazing mince, which will mean heehaw to the general public and, worse still, heehaw to the people who are being discriminated against. (Fiona Hyslop, 8.11.00, 1426)

52. The Boundary Commission made a right sotter (Nora Radcliffe, 9.11.00, 1540)

53. the two new haudit-and-daudit members who are sitting on the SNP benches (Ben Wallace, 16.11.00, 105)

54. Glasgow's tenants are no numpties. (Linda Fabiani, 16.11.00, 142)

55. The thought of clyping never came into my head. (Christine Grahame, Justice and Home Affairs Committee, 12.12.00, 1994)

56. the way in which teachers feel hauden doon by over-regulation (Donald Gorrie, 10.1.01, 14)

57. Mr Kenneth Gibson: I propose the convener, Trish Godman. / Mr Jamie Stone: You big sook. / Colin Campbell: I second Mr Gibson's proposal. / The Convener: I do not think that "big sook" is parliamentary language. / Mr Gibson: I was not being a big sook so much as launching a pre-emptive strike—the convener wanted me to be the reporter. (Jamie Stone, Trish Godman, Kenneth Gibson, 14.11.2000, Local Government Committee, 1297)

58. He was chuffed to the gutties. (Cathie Peattie, 07.2.01, 1029)

59. If it wisnae for the berries, where would we be? / We'd be in the hospital or infirmary. / Nae mair heart attacks or even surgery / If we only keep eating the berries. (Mary Scanlon, 21.03.01, 785)

60. common Scots words such as dreich, drookit, oxter or vindaloo (Gil Paterson, Procedures Committee, 03.04.01, 696)

61. Charles Rennie Mackintosh would be birling in his grave (Cathy Jamieson, 16.05.01, 732)

62. Dinna fash yersel, man. (Gil Paterson [to Murray Tosh], 14.06.01, 1621)

63. I would hae ma doots about electronic unlocking in a YOI (Eric Fairbairn [HM Deputy Chief Inspector of Prisons], Justice 1 Committee, 11.9.01, 2644)

64. we are getting into a guddle again. (Johann Lamont, Social Justice Committee, 19.9.01, 2540)

65. does oor real teacher ken whit you're dacin? (Winnie Ewing, 26.9.01, 2862)

66. the Government has had up its jouk more than £700 million (Andrew Wilson, 27.9.01, 2926)

67. Moanin, girnin, greetin – the hallmarks of the SNP (Peter Peacock, 27.9.01, 2936)

68. the day of the short dirks (Fiona Hyslop, 28.11.01, 4175)

69. She's no frae Saltcoats (Mike Russell, 29.11.01, 4346)

70. not a Government for a' Jock Tamson's bairns but a Government for a' Jack McConnell's mates (John Swinney, 29.11.01, 4389)

71. If we were to stravaig over to Copenhagen (Fergus Ewing, Rural Development Committee, 4.12.01, 2525)

72. He said, "Look, it's by wi. I want to get on wi my life." … It is as if you are banging your heid against a brick wall and folk are slamming doors in your face… My other favourite phrase at the moment is brain deid (Witness, Justice 2 Committee, 04.12.01, 422)

73. …Are members agreed? / Members indicated agreement. / The Convener: Good, because you were going to get skelped if you disagreed. (Margo MacDonald, Subordinate Legislation Committee, 18.12.01, 711)

74. the issue concerns inby land and common grazings (witness, Rural Development Committee, 8.1.02, 2689)

75. "It is better to meddle wi the deil than wi the bairns o Falkirk." (Helen Eadie, 11.1.02, 5361)

76. Dunfermline glen, although it is not perhaps a marriage venue, has certainly been the place for courting or winching couples for a long time. (Tricia Marwick, 17.1.02, 5571)

77. It is a gey one-sided partnership (Andrew Welsh, 31.1.02, 6032)

78. lang may yer lums reek. (Nora Radcliffe, 6.2.02, 6127)

79. The member is feart. (Jackie Baillie, 7.2.02, 6202)

80. Sit doon the noo. (Alex Neil, 7.2.02, 6233)

81. the Labour party is hotchin with control freaks (Bill Aitken, 7.2.02, 6242)

82. However, I still hae ma doots. (Robin Harper, 14.2.02, 6691)

83. the flitting-to-Holyrood phase (Robert Brown, Finance Committee, 12.3.02, 1896)

84. when friends who are solicitors take every opportunity to nip yer heid (Michael Matheson, 13.3.02, 10190)

85. the Secretary of State for Scotland, in her usual crabbit style... The crabbit one responded immediately (Bruce Crawford, 14.3.02, 10219)

86. All life is here. I am afraid it is all auld claes and parritch now. (Margo MacDonald, Subordinate Legislation Committee, 25.6.02, 983)

87. Let me show the minister these two pictures: the first one is a coo; the second one is a sheep. (Bruce Crawford, 12.9.02, 13719)

88. Dundee men stayed at home and, in those days, were not referred to as new men but as kettle bilers. (Kate Maclean, 18.09.02, 13864)

89. it is open to the landlord or the owner to ca the feet from under the tenant by agreeing to discharge the burden (Mr Jim Wallace, Justice 1 Committee, 1.10.02, 4071)

90. We are not thirled to setting the period at two weeks or one day (Mr Duncan Hamilton, Justice 2 Committee, 8.10.02, 1917)

91. Inverness disnae have much sunshine, although it has lots of nice people. (Tommy Sheridan, Equal Opportunities Committee, 29.10.02, 1591)

92. idle chat at the steamie (David Davidson, Finance Committee, 29.10.02, 2269)

93. My advice is to ca cannie a little (Professor David McCrone (Adviser), Procedures Committee, 12.11.02, 1762)

94. many people feel that the bill is merely cauld kail rehet (Donald Gorrie, 13.11.02, 15264)

95. It is guid to hae a bit o a blether aboot culture on a day like the day, is it not? It has been a wee bit o a rammy and some o ye hae been mince. Mike Russell and John Farquhar Munro are gey seeck because the heidie said nae to their bill. Rhona Brankin is a bit scunnert and Linda Fabiani had a guid moan. I had better get on with this afore the big man tells us to wheesht. (Karen Gillon, 14.11.02, 15450)

96. I suspect that "complex and technical" is a euphemism for "I dinnae ken fit it means." (Brian Adam, 21.11.02, 15599)

97. Amendment 59 is sleekit... (Tricia Marwick, 08.01.03, 16745)

98. The Finance Committee – which is responsible for looking after the bawbees (Margo MacDonald, Finance Committee, 11.2.03, 2506)

99. ...the figures are eeksie-peeksie. (Committee witness, Justice 1 Committee, 18.02.03, 4624)

100. Brian Fitzpatrick (Strathkelvin and Bearsden) (Lab): Well done, Lord President. / The Convener: What a sook. (Margo MacDonald, Subordinate Legislation Committee, 19.3.03, 1280

From the Official Record of the Scottish Parliament

Cyrano's Neb

*In this extract from Edwin Morgan's translation of Edmond Rostand's
Cyrano de Bergerac, which is set in 17th-century France, the bold Cyrano,
who is extremely sensitive about his enormous nose, has just used his boot
to see off a troublemaker who has dared to insult him at the theatre. The
noblemen De Guiche and Valvert are affronted by Cyrano's brash self-
confidence.*

CYRANO

              Let that be a lesson tae the pack
Of eejits that might fin ma mid-face coamic,
And should the joker be noble, he must stomach
Steel, no leather, as Ah loup the sterrs
And tickle him at wame and no at erse!

DE GUICHE

He goes too far, that one!

VALVERT

              He's piss and wind.

DE GUICHE

Can no one shut him up?

VALVERT

              Ah can. He's grinned
Jist wance too often. Watch me bug him. Here –
Your nose is…hm…gey big, it's clear –

CYRANO

                    Quite clear.

VALVERT

Ha!

CYRANO

    That all?

VALVERT

        But…

FLYTE

CYRANO

                    Yer *canto*'s no *bel*, young man!
Ye coulda said – oh, lotsa things, a plan
For each, tae suit yer tone o voice, like so:
Thuggish: "If Ah'd a nose like yours, Ah'd go
Straight to the surgery for amputation!"
Freen-like: "Dinnae dunk it in a cup, fashion
Yersel a Munich tankard for tae slurp fae."
Descriptive: "A rock? A peak? A cape? The survey
Shaws the cape's a haill peninsula!"
Pawky: "If it's a boax and no a fistula,
Whit's in it, pens or pins or penny needles?"
Gracious: "Ye're a right Saint Francis, ye wheedle
The burds o the air tae wrap their gentle tootsies
Roon yer perch and rest their weary Guccis!"
Truculent: "Puff yer pipe until the smoke
Comes whummlin oot yer nose, and the big toke
Has aw yer neebors cryin 'Lum's on fire!'"
Warning: "Mind ye don't end up in the mire,
Wae aw that heid-weight draggin ye right doon!"
Saft-hertit: "Whit if it fadit at high noon?
Make it a wee parasol tae keep the sun aff!"
Pedantic: "Aristophanes' moon-calf,
Hippocamelelephantocamelou,
Has nae mair flesh and bane beneath his broo!"
Joco: "That huge hook must be rerr; it scores
Fur hingin up yer hat when ye're indoors!"
Admiring: "Logo fur Boady Shoap, better'n a rose!"
Bummin: "Nae wind, O hypermacho nose,
Could gie ye snuffles but fae Muckle Flugga!"
Dramatic: "Bleeds a haill Rid Sea, the bugger!"
Lyrical: "It's a conch fur Captain Hornblower !"
Naïve: "Is yer monument open fae nine tae four?"
Respeckfu: "A badge? Yer Honour disnae need yin!

The Smoky Smirr o Rain

It's clear up-front that ye're a real high-heid-yin!"
Rustic: "Fat's a dae wae noses? Na, na!
A muckle neep or a scrunty melon, hah?"
Military: "Pynt yer supergun at the troops!"
Practical: "Ye kin raffle it, cowp the coops,
Hit the jackpot, snaffle the dosh and away!"
Or lastly, parodying Pyramus in the play:
"See how this nose has blasted the harmony
Of its master's features! It blushes wretchedly!"
– That's a wee tait o what ye could've sayed
If ye'd had wit or kulchur; Ah'm afraid
Ye've nane. Yer wit wis ripped oot fae yer genes,
Yer kulchur, O maist deplorable of bein's,
Comprises five letters, D, U, M, B, O!
But even if ye'd hud the nous tae throw
Sic pure deid brilliant whigmaleeries oot
Intae this deid brilliant audience, Ah doot
Ye'd no could stammer the furst syllable
Before Ah'd shawn it tae be killable:
Thae juicy jests are mine. Ah love them, but
When ithers try tae mooth them, Ah cry, "Cut!"

> Edmond Rostand, *Cyrano de Bergerac*, translated by Edwin Morgan

Father and Son

In this extract from the novel Weir of Hermiston, set in 1813, young Archie Weir returns to his home in Edinburgh, having publicly denounced his father Lord Hermiston's brutality as a judge in the trial and hanging of a miserable criminal called Duncan Jopp.

It was in the gloaming when he drew near the doorstep of the lighted house, and was aware of the figure of his father approaching from the opposite side. Little daylight lingered; but on the door being opened, the strong yellow shine of the lamp gushed out upon the landing and shone full on Archie, as he stood, in the old-fashioned observance of respect, to yield precedence. The Judge came without haste, stepping stately and firm; his chin raised, his face (as he entered the lamplight) strongly illumined, his mouth set hard. There was never a wink of change in his expression; without looking to the right or left, he mounted the stair, passed close to Archie, and entered the house. Instinctively, the boy, upon his first coming, had made a movement to meet him; instinctively, he recoiled against the railing, as the old man swept by him in a pomp of indignation. Words were needless; he knew all – perhaps more than all – and the hour of judgment was at hand.

It is possible that, in this sudden revulsion of hope, and before these symptoms of impending danger, Archie might have fled. But not even that was left to him. My lord, after hanging up his cloak and hat, turned round in the lighted entry, and made him an imperative and silent gesture with his thumb, and with the strange instinct of obedience, Archie followed him into the house.

All dinner-time there reigned over the Judge's table a palpable silence, and as soon as the solids were despatched he rose to his feet.

"M'Killup, tak' the wine into my room," said he; and then to his son: "Archie, you and me has to have a talk."

It was at this sickening moment that Archie's courage, for the first and last time, entirely deserted him. "I have an appointment," said he.

"It'll have to be broken, then," said Hermiston, and led the way into his study.

The lamp was shaded, the fire trimmed to a nicety, the table covered deep with orderly documents, the backs of law books made a frame upon all sides that was only broken by the window and the doors.

For a moment Hermiston warmed his hands at the fire, presenting his back to Archie; then suddenly disclosed on him the terrors of the Hanging Face.

"What's this I hear of ye?" he asked.

There was no answer possible to Archie.

"I'll have to tell ye, then," pursued Hermiston. "It seems ye've been skirling against the father that begot ye, and one of His Maijesty's Judges in this land; and that in the public street, and while an order of the Court was being executit. Forbye which, it would appear that ye've been airing your opeenions in a Coallege Debatin' Society;" he paused a moment: and then, with extraordinary bitterness, added: "Ye damned eediot."

"I had meant to tell you," stammered Archie. "I see you are well informed."

"Muckle obleeged to ye," said his lordship, and took his usual seat. "And so you disapprove of Caapital Punishment?" he added.

"I am sorry, sir, I do," said Archie.

"I am sorry, too," said his lordship. "And now, if you please, we shall approach this business with a little more parteecularity. I hear that at the hanging of Duncan Jopp – and, man! ye had a fine client there – in the middle of all the riff-raff of the ceety, ye thought fit to cry out, 'This is a damned murder, and my gorge rises at the man that haangit him.'"

"No, sir, these were not my words," cried Archie.

"What were yer words, then?" asked the Judge.

"I believe I said, 'I denounce it as a murder!'" said the son. "I beg your pardon – a God-defying murder. I have no wish to conceal the truth," he added, and looked his father for a moment in the face.

"God, it would only need that of it next!" cried Hermiston. "There was nothing about your gorge rising, then?"

"That was afterwards, my lord, as I was leaving the Speculative. I said I had been to see the miserable creature hanged, and my gorge rose at it."

"Did ye, though?" said Hermiston. "And I suppose ye knew who haangit him?"

"I was present at the trial, I ought to tell you that, I ought to explain. I ask your pardon beforehand for any expression that may seem undutiful. The position in which I stand is wretched," said the unhappy hero, now fairly face to face with the business he had chosen. "I have been reading some of your cases. I was present while Jopp was tried. It was a hideous business. Father, it was a hideous thing! Grant he was vile, why should you hunt him with a vileness equal to his own? It was done with glee – that is the word – you did it with glee; and I looked on, God help me! with horror."

"You're a young gentleman that doesna approve of Caapital Punishment," said Hermiston. "Weel, I'm an auld man that does. I was glad to get Jopp haangit, and what for would I pretend I wasna? You're all for honesty, it seems; you couldn't even steik your mouth on the public street. What for should I steik mines upon the bench, the King's officer, bearing the sword, a dreid to evil-doers, as I was from the beginning, and as I will be to the end! Mair than enough of it! Heedious! I never gave twa thoughts to heediousness, I have no call to be bonny. I'm a man that gets through with my day's business, and let that suffice."

The ring of sarcasm had died out of his voice as he went on; the plain words became invested with some of the dignity of the Justice-seat.

"It would be telling you if you could say as much," the speaker resumed. "But ye cannot. Ye've been reading some of my cases, ye say. But it was not for the law in them, it was to spy out your faither's nakedness, a fine employment in a son. You're splairging; you're running at lairge in life like a wild nowt. It's impossible you should think any longer of coming to the Bar. You're not fit for it; no splairger is. And another thing: son of mines or no son of mines, you have flung fylement in public on one of the Senators of the Coallege of Justice, and I would make it my business to see that ye were never admitted there yourself. There is a kind of a decency to be observit. Then comes the next of it – what am I to do with ye next? Ye'll have to find some kind of a trade, for I'll never support ye in idleset. What do ye fancy ye'll be fit for? The pulpit? Na, they could never get diveenity into that bloackhead. Him that the law of man whammles is no' likely to do muckle better by the law of God. What would ye make of hell? Wouldna your gorge rise at that? Na, there's no room for splairgers under the fower quarters of John Calvin. What else is there? Speak up. Have ye got nothing of your own?"

"Father, let me go to the Peninsula," said Archie. "That's all I'm fit for – to fight."

"All? quo' he!" returned the Judge. "And it would be enough too, if I thought it. But I'll never trust ye so near the French, you that's so Frenchifeed."

"You do me injustice there, sir," said Archie. "I am loyal; I will not boast; but any interest I may have ever felt in the French – "

"Have ye been so loyal to me?" interrupted his father.

There came no reply.

"I think not," continued Hermiston. "And I would send no man to be a servant of the King, God bless him! that has proved such a shauchling son to his own faither. You can splairge here on Edinburgh street, and where's the hairm? It doesna play buff on me! And if there were twenty thousand eediots like yourself, sorrow a Duncan Jopp would hang the fewer. But there's no splairging possible in a camp; and if ye were to go to it, you would find out for yourself whether Lord Well'n'ton approves of caapital punishment or not. You a sodger!" he cried, with a sudden burst of scorn. "Ye auld wife, the sodgers would bray at ye like cuddics!"

As at the drawing of a curtain, Archie was aware of some illogicality in his position, and stood abashed. He had a strong impression, besides, of the essential valour of the old gentleman before him, how conveyed it would be hard to say.

"Well, have ye no other proposeetion?" said my lord again.

"You have taken this so calmly, sir, that I cannot but stand ashamed," began Archie.

"I'm nearer voamiting, though, than you would fancy," said my lord.

The blood rose to Archie's brow.

"I beg your pardon, I should have said that you had accepted my affront… I admit it was an affront; I did not think to apologise, but I do, I ask your pardon; it will not be so again, I pass you my word of honour… I should have said that I admired your magnanimity with – this – offender," Archie concluded with a gulp.

"I have no other son, ye see," said Hermiston. "A bonny one I have gotten! But I must just do the best I can wi' him, and what am I to do? If ye had been younger, I would have wheepit ye for this rideeculous exhibeetion. The way it is, I have just to grin and bear. But one thing is to be clearly understood. As a faither, I must grin and bear it; but if I had been the Lord Advocate instead of the Lord Justice-Clerk, son or no son, Mr. Erchibald Weir would have been in a jyle the night."

Archie was now dominated. Lord Hermiston was coarse and cruel; and yet the son was aware of a bloomless nobility, an ungracious abnegation of the man's self in the man's office. At every word, this sense of the greatness of Lord Hermiston's spirit struck more home; and along with it that of his own impotence, who had struck – and perhaps basely struck – at his own father, and not reached so far as to have even nettled him.

"I place myself in your hands without reserve," he said.

"That's the first sensible word I've had of ye the night," said Hermiston. "I can tell ye, that would have been the end of it, the one way or the other; but it's better ye should come there yourself, than what I would have had to hirstle ye. Weel, by my way of it – and my way is the best – there's just the one thing it's possible that ye might be with decency, and that's a laird. Ye'll be out of hairm's way at the least of it. If ye have to rowt, ye can rowt amang the kye; and the maist feck of the caapital punishment ye're like to come across'll be guddling trouts. Now, I'm for no idle lairdies; every man has to work, if it's only at peddling ballants; to work, or to be wheeped, or to be haangit. If I set ye down at Hermiston I'll have to see you work that place the way it has never been workit yet; ye must ken about the sheep like a herd; ye must be my grieve there, and I'll see that I gain by ye. Is that understood?"

"I will do my best," said Archie.

"Well, then, I'll send Kirstie word the morn, and ye can go yourself the day after," said Hermiston. "And just try to be less of an eediot!" he concluded, with a freezing smile, and turned immediately to the papers on his desk.

Robert Louis Stevenson, Weir of Hermiston

skirling: yelling steik: shut splairging: running wild nowt: ox whammles: upsets
shauchling: shuffling doesna play buff: makes no impression hirstle: drive
rowt: bellow the maist feck: the greatest amount peddling balants: selling ballads
grieve: overseer

SUN, SNAW, SMIRR

The Comin' o' the Spring

There's no a muir in my ain land but's fu' o' sang the day,
Wi' the whaup, and the gowden plover, and the lintie upon the brae.
The birk in the glen is springin', the rowan-tree in the shaw,
And every burn is rinnin' wild wi' the meltin' o' the snaw.

The wee white cluds in the blue lift are hurryin' light and free,
Their shadows fleein' on the hills, where I, too, fain wad be;
The wind frae the west is blawin', and wi' it seems to bear
The scent o' the thyme and gowan thro' a' the caller air.

The herd doon the hillside's linkin'. O licht his heart may be
Whose step is on the heather, his glance ower muir and lea!
On the Moss are the wild ducks gatherin', whar the pules like diamonds lie,
And far up soar the wild geese, wi' weird unyirdly cry.

In mony a neuk the primrose lies hid frae stranger een,
An' the broom on the knowes is wavin' wi' its cludin' o' gowd and green;
Ower the first green sprigs o' heather the muir-fowl faulds his wing,
And there's nought but joy in my ain land at the comin' o' the Spring!

Song by Alicia Anne Spottiswoode

whaup: curlew   lintie: linnet   birk: birch   shaw: wood   lift: sky   gowan: daisy
caller: fresh   herd: herdsman   linkin': striding   unyirdly: unearthly   knowes: hilltops
cludin': clothing

Craigo Woods

Craigo Woods, wi' the splash o' the cauld rain beatin'
  I' the back end o' the year,
When the clouds hang laigh wi' the wecht o' their load o' greetin'
  And the autumn wind's asteer;
Ye may stand like ghaists, ye may fa' i' the blast that's cleft ye
  To rot i' the chilly dew,
But when will I mind on aucht since the day I left ye
  Like I mind on you – on you?

Craigo Woods, i' the licht o' September sleepin'
  And the saft mist o' the morn,
When the hairst climbs to yer feet, an' the sound o' reapin'
  Comes up frae the stookit corn,
And the braw reid puddock-stules are like jewels blinkin'
  And the bramble happs ye baith,
O what do I see, i' the lang nicht, lyin' an' thinkin'
  As I see yer wraith – yer wraith?

There's a road to a far-aff land, an' the land is yonder
  Whaur a' men's hopes are set;
We dinna ken foo lang we maun hae to wander,
  But we'll a' win to it yet;
An' gin there's woods o' fir an' the licht atween them,
  I winna speir its name,
But I'll lay me doon by the puddock-stules when I've seen them,
  An' I'll cry "I'm hame – I'm hame!"

Violet Jacob

laigh: low aucht: anything hairst: harvest puddock-stules: toadstools
happs: covers wraith: ghost foo: how gin: if speir: ask

Hairst Day

Lord: it is time. The simmer gied braw yield.
Mak yer shaddae faw upon the sundials
an lowse the winds ontil the fields.

Command the final fruits tae ful the vine,
gie them twa mair days o southren weather,
push them intil ripenin and pester
the last o sweetness throu the heavy wine.

Them that has nae hoose'll no can bigg ane nou.
Them that's by their lane has lang tae wait,
tae wauken, read, write muckle letters late,
stravaig the wynds an avenues unquait
when leaves is driftin throu the toun.

Rainer Maria Rilke, 'Herbstagg', translated by Andrew Philip

lowse: release   bigg: build   by their lane: on their own   stravaig: wander

Robin at My Window

The air was cleart with quhyt and sable clouds,
Hard froist, with frequent schours of hail and snaw,
Into the nicht the stormie wind with thouds
And balefull billows on the sea did blaw;
Men, beastis, and foulis unto their beilds did draw,
Fain than to find the fruct of simmer thrift,
Quhan clad with snaw was sand, wood, crag and clift.

I satt at fyre weill guyrdit in my gown;
The starving sparrows at my window cheiped;
To reid ane quhyle I to my book was bown.
In at ane pane the pretty progne peipped,
And movèd me, for fear I should have sleiped,
To ryse and sett ane keasement oppen wyd,
To see gif robein wald cum in and byde.

Puir progne, sueitlie I have hard ye sing
Thair at my window on the simmer day;
And now sen winter hidder dois ye bring
I pray ye enter in my hous and stay
Till it be fair, and than thous go thy way,
For trowlie thous be treated courteouslie
And nothing thrallèd in thy libertie.

Cum in, sueit robein, welcum verrilie,
Said I, and down I satt me by the fire:
Then in cums robein reidbreist mirrelie,
And suppis and lodgis at my hartis desire:
But on yc morn, I him perceived to tyre,
For Phoebus schyning suetlie him allurd,
I gave him leif, and furth guid robein furd.
James Melville

cleart: dirty   beilds: shelters   fruct: fruit   guyrdit: wrapped   bown: prepared
progne: robin (more correctly, the swallow)   thrallèd: restrained   furd: went

Winter

The frosty regioun ryngis of the yer,
The tyme and sesson bittir, cald and paill,
The schort days that clerkis clepe brumaill,
Quhen brym blastis of the northyn art
Ourquhelmyt had Neptunus in his cart,
And all to schaik the levis of the treis,
The rageand storm ourweltrand wally seys.
Ryveris ran reid on spait with watir browne,
And burnys hurlys all thar bankis downe,
And landbrist rumland rudely with sik beir,
So lowd ne rumyst wild lyoun or ber;
Fludis monstreis, sik as meirswyne or quhalis,
Fro the tempest law in the deip devalis.
Mars occident, retrograde in his speir,
Provocand stryfe, regnyt as lord that yer;
Rany Oryon with his stormy face
Bewavit oft the schipman by hys race;
Frawart Saturn, chill of complexioun,
Throu quhais aspect darth and infectioun
Beyn causyt oft, and mortal pestilens,
Went progressyve the greis of his ascens;
And lusty Hebe, Junoys douchtir gay,
Stude spulyeit of hir office and array.
The soyl ysowpit into watir wak,
The firmament ourcast with rokis blak,
The grond fadyt, and fawch wolx all the feildis,
Montane toppis slekit with snaw ourheildis;
On raggit rolkis of hard harsk quhyn stane
With frosyn frontis cauld clynty clewis schane.
Bewte was lost, and barrand schew the landis,
With frostis hair ourfret the feldis standis.
Seir bittir bubbis and the schowris snell

283

The Smoky Smirr o Rain

Semyt on the sward a symylitude of hell,
Reducyng to our mynd, in every sted,
Gousty schaddois of eild and grisly ded.
Thik drumly skuggis dyrknyt so the hevyn,
Dym skyis oft furth warpit feirfull levyn,
Flaggis of fire, and mony felloun flaw,
Scharpe soppys of sleit and of the snypand snaw.
The dolly dichis war all donk and wait,
The law valle flodderit all with spait,
The plane stretis and every hie way
Full of floschis, dubbis, myre and clay.
Laggerit leyis wallowit farnys schew,
Browne muris kythit thar wysnyt mossy hew,
Bank, bra and boddum blanchit wolx and bar.
For gurl weddir growit bestis hair.
The wynd maid waif the red wed on the dyke,
Bedowyn in donkis deip was every sike.
Our craggis and the front of rochis seir
Hang gret ische schouchlis lang as ony speir.
The grond stud barrant, widderit, dosk or gray,
Herbis, flowris and gersis wallowyt away.
Woddis, forrestis, with nakyt bewis blowt,
Stude stripyt of thar weid in every howt.
So bustuusly Boreas his bugill blew,
The deyr full dern doun in the dalis drew;
Smale byrdis, flokkand throu thik ronys thrang,
In chyrmyng and with cheping changit thar sang,
Sekand hidlis and hyrnys thame to hyde
Fra feirfull thuddis of the tempestuus tyde;
Thc watir lynnys rowtis, and every lynd
Quhislit and brayt of the swouchand wynd.
Puyr lauboraris and bissy husband men
Went wait and wery draglit in the fen.
The silly scheip and thar litil hyrd gromys

SUN, SNAW, SMIRR

Lurkis undre le of bankis, woddis and bromys;
And other dantit grettar bestiall,
Within thar stabillis sesyt into stall,
Sik as mulis, horssis, oxin and ky,
Fed tuskyt barys and fat swyne in sty,
Sustenyt war by mannys governance
On hervist and on symmeris purvyance.
Wyde quhar with fors so Eolus schowtis schill
In this congelit sesson scharp and chill,
The callour ayr, penetratyve and puyr,
Dasyng the blude in every creatur,
Maid seik warm stovis and beyn fyris hoyt,
In dowbill garmont cled and wily coyt,
With mychty drink and metis confortyve,
Agane the stern wyntir forto stryve.

Gavin Douglas, The Aeneid, Book VII, Prologue

ryngis: reigns clepe brumaill: call wintry brym: fierce art: airt, direction
ourquhelmyt: overwhelmed ourweltrand wally seys: overriding stormy seas
landbrist: surf rumland: rumbling, roaring beir: noise meirswyne: dolphins or
porpoises quhalis: whales devalis: descend bewavit: blew away frawart: hostile
greis: degrees spulyeit: robbed ysowpit: sodden wak: wet rokis: clouds
fawch: brown wolx: became ourheildis: covered harsk quhyn stane: rough
whinstone clynty clewis schane: glinting with stony clefts ourfret: fretted over
seir: blasted bubbis: squalls snell: sharp sward: land reducyng: suggesting
sted: place gousty: dismal eild: old age ded: death drumly skuggis: dark clouds
furth warpit: struck forth levyn: lightning flaggis: flashes felloun flaw: savage
blasts dolly: dismal donk: damp floschis: pools dubbis: puddles
laggerit: muddied leyis: leas, pastures wallowit: withered farnys: ferns
kythit: revealed wysnyt: withered blanchit: bleached gurl: rough waif: wave
bedowyn: plunged donkis: bogs sike: ditch ische shouchlis: icicles dosk: dark,
dusky gersis: grasses bewis: boughs howt: wood bustuusly: fiercely deyr: deer
dern: deep, hidden ronys: bushes thrang: throng chyrmyng: twittering
hidlis: hiding-places hyrnys: corners lynnys: waterfalls rowtis: roared
swouchand: whistling wait: wet draglit: bedraggled hyrd gromys: herd boys
dantit: domesticated bestiall: beasts sesyt: fixed ky: cattle barys: boars
schill: loud, shrill callour: cold dasyng: dazing, stunning beyn: cosy
wily coyt: undercoat

The Smoky Smirr o Rain

A misty mornin' doon the shore wi a hushed an' caller air,
an' ne'er a breath frae East or Wast tie sway the rashes there,
a sweet, sweet scent frae Laggan's birks gaed breathin' on its ane,
their branches hingin beaded in the smoky smirr o rain.

The hills aroond war silent wi the mist alang the braes.
The woods war derk an' quiet wi dewy, glintin' sprays.
The thrushes didna raise for me, as I gaed bye alane,
but a wee, wae cheep at passin' in the smoky smirr o rain.

Rock an' stane lay glisterin' on aa the heichs abune.
Cool an' kind an' whisperin' it drifted gently doon,
till hill an' howe war rowed in it, an' land an' sea war gane.
Aa was still an' saft an' silent in the smoky smirr o rain.

George Campbell Hay

BIOGRAPHICAL AND OTHER NOTES

Ballads may be defined as folk-songs, transmitted by word of mouth, that tell a story. Ballads are to be found in many forms all over the world, and often the same themes are present in the ballads of different cultures and communities. Scotland's ballad heritage is one of the richest of all, and is especially strong in the north-east and the Borders. Ballads telling the stories of historical incidents and characters are common, as are those dealing with the supernatural, or with themes of love, betrayal, revenge, family feuds and warfare. The traditional ballads represented in this anthology are 'Allison Gross', 'Sir Patrick Spens', 'The Wife of Usher's Well', 'Thomas the Rhymer', 'The Wee Wee Man' and 'The Twa Corbies'. The collecting and printing of ballads in the 19th century by the likes of **Sir Walter Scott** and F.J. Child saved many which might otherwise have been lost as literacy increased and the oral tradition diminished. However, the tradition survives and was central to the Folk Revival of the 1950s and 1960s, and ballads continue to be made, learned and sung.

The Bannatyne Manuscript is a crucially important 800-page collection of poetry, now in the National Library of Scotland. It was made by George Bannatyne (1545–1608), the son of an Edinburgh lawyer originally from Kirktown of Newtyle in Forfarshire, where George compiled the manuscript in 1568, while away from the capital because of the presence of plague. It is owing to the survival of this manuscript that many works by poets such as **William Dunbar**, **Robert Henryson**, **Alexander Scott** and **Sir David Lyndsay** are known to us. It also contains anonymous poems like 'The Wife of Auchtermuchty'.

John Barbour (c.1320–95), sometimes called the "father of Scottish literature", was probably born in Aberdeen and lived there for most of his life. A churchman and poet, he was awarded a gift of £10 in 1377 by King Robert II for *The Brus*, his epic patriotic poem, in twenty sections or "books", which tells the story of Robert I (or Robert the Bruce) and his struggle to win Scotland's independence from England culminating in the Battle of Bannockburn (1314). The section on "fredome" is one of the most famous, and a very early statement on the importance of political and individual liberty.

Charles Baudelaire (1821–67) was born in Paris. When he was five his father died. His mother remarried in 1828 and Baudelaire's relationship with his stepfather was stormy and painful. At the age of twenty-one he inherited a large fortune which he rapidly spent. A discerning art critic and the translator of the work of Edgar Allan Poe into French, his life was marked by illness, depression, poverty and wild behaviour. On the publication of his major collection of poems, *Les Fleurs du Mal*, in 1857, he was prosecuted for "offence to public decency". He went to lecture in Belgium in 1864, suffered a series of strokes there in 1866, and died in Paris the following year.

John Bellenden (fl. 1530s) was a poet, about whom very little is known. He translated Livy's *History of Rome* as well as producing, in 1536, the Scots version of **Hector Boece**'s *Scotorum Historiae*, on the commission of James V.

Sheena Blackhall (1947–) is an award-winning poet, short story writer and folksinger from Aberdeen. She writes mostly in Scots and has published many books including *Wittgenstein's Web* (1996), *The*

Singing Bird (2000) and *The Fower Quarters* (2002). Her novella *Loon* (2003) is published by Itchy Coo in the two-novella volume *Double-Heider*. From 1998 to 2003 she was Creative Writing Fellow (in Scots) at the Elphinstone Institute, University of Aberdeen.

Tammas Bodkin' was the pseudonym of **William Duncan Latto**, who was born in 1823 in Fife, and was, from 1861 to 1898, editor of *The People's Journal*. Originally a weaver, then a schoolmaster, as a prolific journalist he developed a witty, down-to-earth style, with which he lambasted social injustice, political wrongdoing and British imperialism. His essays and articles in Scots, written as Tammas Bodkin, were widely read throughout Scotland.

Hector Boece (c.1465–1536) was a historian, born in Dundee, who became the first principal of King's College, Aberdeen. He published his Latin history of Scotland, *Scotorum Historiae*, in Paris in 1526. It is full of inaccuracies and distortions, but became, indirectly, the source for **William Shakespeare**'s version of the story of Macbeth.

Marc Alexander Boyd (1563–1601) was a poet, scholar and soldier who spent much of his life in France and Italy. He wrote most of his poetry in Latin, but is today remembered only for his single poem in Scots, the sonnet 'Fra banc to banc' reproduced here, which was collected in the **Bannatyne Manuscript**.

John Buchan (1875–1940) was born in Perth, the son of a Free Church minister. He spent much of his childhood in the Borders around Peebles and Broughton – an experience which made him fond of outdoor life and contributed to his admiration for the works of **Sir Walter Scott**. After university at Glasgow and Oxford, he worked for the British authorities in South Africa following the Boer War, from 1901 to 1903. He had several careers – as journalist, publisher and Member of Parliament, before being appointed Governor-General of Canada, with the title Lord Tweedsmuir, in 1935. He died in Canada in 1940. He wrote poetry in Scots and English, compiled an important anthology of verse in Scots, *The Northern Muse* (1924), and was supportive of the new wave of Scots poetry led by **Hugh MacDiarmid** in the 1920s. He also wrote some thirty novels, the most famous being the "shocker" *The Thirty-Nine Steps* (1914).

Robert Burns (1759–96) was born in Alloway, Ayrshire on 25th January 1759, a date which has been celebrated across the world with Burns Suppers for nearly 200 years. The son of a farmer, Burns received a good education in spite of relative poverty, and began to write poems in his early twenties. Encouraged by the example of **Robert Fergusson**, he wrote more and more in Scots, and in 1786 his book *Poems, Chiefly in the Scottish Dialect*, was published at Kilmarnock. On the strength of its success, Burns went to Edinburgh where he was lionised by the literary circles of the capital as the "Heaven-taught ploughman". His farming efforts were less rewarding, and he later held a post as an excise officer in Dumfries. In addition to his poetry he made a huge collection of Scottish songs and wrote many of his own, and it is this fusion of poetry and song which marks him out as such an influential and significant figure in both Scottish popular and literary culture. Plagued by lack of money and poor health, Burns died at the age of thirty-seven, but his reputation as Scotland's national bard is assured. Some, however, notably **Hugh MacDiarmid**, have deplored the cult-worship of all things Burnsian as detrimental to an appreciation of the rest of Scottish literature.

Robert Chambers (1802–71), originally from Peebles, moved to Edinburgh where, with his brother William, he established the publishing firm of W. & R. Chambers. He was also an author, writing works of history and biography and collecting Scottish folklore, anecdotes, stories and songs in works such as *Traditions of Edinburgh* (1824) and *Popular Rhymes of Scotland* (1826).

BIOGRAPHICAL AND OTHER NOTES

Joe Corrie (1894–1968) came from Bowhill in Fife, and grew up in the mining community there. A miner himself till the early 1920s, ill health led him to work full-time as a writer. He was a prolific poet and playwright. His most successful play, *In Time of Strife* (1929), deals with the effect of the 1926 General Strike on miners and their families, and, like the best of his writing, is notable for the way it gives dignity to working men and women in the face of appalling industrial and social conditions.

Helen Cruickshank (1886–1975) was born in Hillside, Angus, and educated there and at Montrose. She became a civil servant, worked in London for a while, then settled in Edinburgh, where she began to write poetry, much of it rooted in her native Angus. She became a friend and colleague of some of the leading figures of the Scottish Renaissance, including **Hugh MacDiarmid**, and was a co-founder and first Secretary of the Scottish branch of International PEN, the writers' organisation.

Mike Cullen (1959–) grew up in Tranent, East Lothian. He worked as a colliery electrician for seven years before studying at Stevenson College and Edinburgh University. He is now a scriptwriter for television dramas, including *The Vice*, *Hornblower* and many others. He lives in Haddington.

Colin Donati (1962–) grew up in various parts of rural Scotland, from the south-west to the north-east. A poet, songwriter and musician, he now lives in Edinburgh. He has had many poems published in magazines and anthologies, and his first collection, *Rock Is Water or A History of the Theories of Rain* appeared in 2002. He is currently working on a complete Scots translation of **Dostoevski**'s *Crime and Punishment*.

Feodor Dostoevski (1821–81) was born in Moscow, the second son of a staff doctor at the Hospital for the Poor. He trained as a military engineer at St Petersburg, but resigned his post in 1844 to concentrate on writing. His first novels, *Poor Folk* and *The Double*, were published in 1846. In the same year he joined a socialist group, and in 1849 was arrested for political activity and sentenced to death. The sentence was commuted to hard labour in a Siberian prison. Released in 1854, he entered the army as a private soldier at Semipalatinsk. He changed his political views, becoming a monarchist and devout Orthodox Christian. Returning to St Petersburg as an ensign, he married in 1857 and resigned from the army. In 1862 he travelled abroad for the first time, going to Western Europe. His wife and elder brother died in his absence, and, increasingly suffering from ill health, he became a compulsive gambler. He published *Crime and Punishment* in 1867 and *The Idiot* in 1869. In 1867 he had married his twenty-two year old stenographer, Anna Grigoryena Snitkina, and they travelled abroad to Germany, Italy and Switzerland, to avoid his creditors. His later novels, including *The Possessed* (1872) and *The Brothers Karamazov* (1880), were commercial successes and he lived in Russia for the last nine years of his life.

Gavin Douglas (c.1474–1522) was the third son of the powerful Archibald Douglas, 5th Earl of Angus. He was a churchman who moved in the highest social and political circles, eventually becoming Bishop of Dunkeld in 1515. Author in his own right of the long allegorical poem 'The Palice of Honour' (1501), Douglas is best remembered for his brilliant Scots translation of Virgil's *Aeneid*, completed in 1513, the year of Flodden. The prologues to each of the thirteen books contain some of Douglas's finest verse, particularly his meditations on nature and the seasons.

William Dunbar (c.1460–c.1520) was a poet at the court of James IV. Like other Scottish poets or "makars" of this period, especially **Robert Henryson**, Dunbar was influenced by the work of Geoffrey Chaucer but developed his own highly innovative and sophisticated poetic voice. He wrote poems concerning life at court, satires, allegories, poems in the form of addresses and petitions and in praise of women, complaints about ill health, bad weather and flattering courtiers, religious and moralising poems and a famous "flyting" with fellow-makar Walter Kennedy. The exuberance, linguistic versatility and technical skill of his work make Dunbar one of Scotland's greatest poets.

Jean Elliot (1727–1805) of Minto was the daughter of Sir Gilbert Elliot, Lord Justice Clerk for Scotland. She wrote the lament 'The Flowers of the Forest', about the disastrous losses suffered by the Scots at the Battle of Flodden (1513), at the request of her brother. It is the only one of her poems and songs to survive.

Robert Fergusson (1750–74) was born in Edinburgh and spent nearly all of his short life there. He began writing poetry in English, but found his voice in the Scots of the city's streets and the surrounding countryside. In thirty-odd poems, including the unfinished long poem 'Auld Reikie', he captured the sounds, sights and smells of Edinburgh in one of its most vibrant periods, that of the Enlightenment of the 1770s. Never physically strong, Fergusson suffered from depression and ill health, and died in the town asylum at the age of twenty-four. He was a major influence on **Robert Burn**s, who called him "my elder brother in the Muse" and paid for a headstone to be erected over his grave in the Canongate Kirkyard.

Matthew Fitt (1968–) was born in Dundee and educated there and at Edinburgh University. He trained as a teacher and has worked in schools throughout Scotland. He is a widely published poet and fiction writer. His first novel, *But n Ben A-Go-Go*, a groundbreaking work set in the future and written entirely in Scots, was published in 2000. His poetry is collected in *Kate O'Shanter's Tale and Other Poems* (2003).

John Galt (1779–1839) was born in Irvine, Ayrshire, the son of a sea-captain. He combined writing with a business career and extensive travel in Europe. He later went to Canada as secretary of a company which aimed to settle the unexplored parts of that country, and was briefly imprisoned for bad debts on his return. He wrote stories, sketches and essays, and several novels mostly set in Ayrshire, Renfrewshire and Glasgow, including *Annals of the Parish* (1821), *The Provost* (1822), *The Entail* (1823) and *Ringan Gilhaize* (1823).

Robert Garioch (1901–81) was the pen-name of Robert Garioch Sutherland, who was born and lived most of his life in Edinburgh. He served in North Africa during the Second World War and was a prisoner-of-war from 1942 to 1945. He later worked as a teacher. Many of his poems focus on life in Edinburgh, a city he loved but which did not escape his satirical wit. He acknowledged an empathy with, and debt to, the earlier Edinburgh poet **Robert Fergusson** in 'At Robert Fergusson's Grave' and 'To Robert Fergusson'. A skilful practitioner of the sonnet, he translated 120 of the sonnets of the 19th-century Italian poet Giuseppe Belli into Scots.

Flora Garry (1900–2000) was born and brought up on a farm near New Deer, Aberdeenshire, the daughter of parents who were both writers as well as farmers. She was educated at New Deer School, Peterhead Academy and the University of Aberdeen. She became a teacher, working in schools in Dumfries and Strichen and in Glasgow, where she settled for much of her married life. Her poems, gathered in *Collected Poems* (1995) reflect the richness of her Buchan speech and background.

Hafiz Shirazi (727–791 A.H., or 1325–89 A.D.) was born Shamsheddin Mohammad at Shiraz in Iran. He was named Hafiz, a title given to those who had memorised the Koran, which he had done in his teens. His father, a coal merchant, died around this time, and Hafiz worked in a bakery, from which he made deliveries to a wealthy part of Shiraz. Here he saw the beautiful young woman Shakh-e Nabat, to whom many of his poems are addressed. In his twenties he became a poet and teacher of the Koran at the court of Abu Ishak. Forced into exile by warfare in his forties, he returned after four years and was reinstated as a teacher, although his views were often controversial and opposed by orthodox clerics. In his sixties he composed many of his ghazals, an intricate Persian verse-form, while in a state of divine inspiration. His diwan, or collection of poems, contains more than 500 ghazals and 42 rubaiyahs, and was collected some twenty years after his death. Alif, the subject of the poem reproduced here, is the first letter of the Farsi (Persian), Arabic and Hebrew alphabets and also a symbol of God and the concept of unity.

George Campbell Hay (1915–84) was the son of the novelist **John MacDougall Hay**. Born in Elderslie, Renfrewshire, he was only four when his father died. The family returned to Tarbert, Loch Fyne, Argyllshire, and Hay's childhood here gave him his cultural and linguistic roots, although he was sent away to boarding-school in Edinburgh at the age of ten. A gifted linguist, he wrote in Gaelic, Scots and English, as well as translating from numerous other ancient and modern languages. He was a staunch Scottish Nationalist, opposed to the British war effort during the Second World War, and went on the run in Argyll for eight months to avoid conscription. He eventually served in North Africa and Italy, experiences which contributed to the physical and mental ill health which plagued him for the rest of his life. A comprehensive edition of his poems and songs was published in 2000.

John MacDougall Hay (1881–1919) was born in Tarbert, Loch Fyne, and educated there and at Glasgow University. After working as a journalist and teacher, he trained as a minister in the Church of Scotland. His first parish was in Govan, and he was subsequently translated to Elderslie. He published three novels, of which the first, *Gillespie* (1914), is a classic of Scottish literature. He died of tuberculosis in 1919.

Hamish Henderson (1919–2002) was born in Blairgowrie, Perthshire. He served as an intelligence officer with the Highland Division in North Africa and Italy during the Second World War, and from this experience came his poetry collection *Elegies for the Dead in Cyrenaica* (1948). From 1951 to his death he worked in the School of Scottish Studies at Edinburgh University, where he was the foremost field researcher and collector of traditional songs, stories and lore, particularly among the travelling people of Scotland. As a leading figure in the Folk Revival of the 1950s and 1960s, he also wrote songs of his own, such as 'The Freedom Come-All-Ye', 'The John Maclean March' and 'The Highland Division's Farewell to Sicily', which have passed into the tradition.

Robert Henryson (c.1425–c.1490) was a schoolmaster at Dunfermline, but very little else is known about his life. Along with **Gavin Douglas** and **William Dunbar**, Henryson was one of the great Scots makars of the Renaissance period, and like them was influenced by the writings of Geoffrey Chaucer but developed his own voice far beyond the merely imitative. He is best known for his tragic narrative poem 'The Testament of Cresseid' and for his versions of the moral fables of Aesop.

W.N. Herbert (1961–) was born in Dundee and educated there and at Oxford University. He adapted his postgraduate thesis into his study *To Circumjack MacDiarmid* (1992). A prolific poet, writing in both Scots and English, he has published numerous collections including *Dundee Doldrums* (1991), *Forked Tongue* (1994), *Cabaret McGonagall* (1996), *The Laurelude* (1998) and *The Big Bumper Book of Troy* (2002). Since 1996 he has taught Creative Writing at Lancaster University.

Gerard Manley Hopkins (1844–89) was born at Stratford, Essex, the eldest of eight children. His father was a prosperous marine insurance businessman in London, where the family moved in 1852. He studied at Oxford, writing poetry there and becoming a Roman Catholic. He taught for a while before becoming a Jesuit novice and being ordained as a priest in 1877. He continued to write poetry and to teach, and was appointed Professor of Greek at University College, Dublin in1884. His last years were plagued by depression and ill health, and he died of typhoid fever. All of his poetry was published posthumously.

Violet Jacob (1863–1946) was born Violet Kennedy-Erskine, the daughter of the 18th Laird of Dun, in Montrose. Her marriage to an army officer, Arthur Jacob, took her to India for some years. She returned to Scotland where she wrote poetry, short stories and several historical novels, the best-known of which is *Flemington* (1911). Her best poetry is in a natural Scots which captures the sights and sounds of her native Angus countryside.

James I (1394–1437) was the second son of Robert III, and became heir to the Scottish throne on the death of his elder brother in 1402. It was a turbulent political period and in 1406 James was sent to France for his safety. He was captured at sea by the English and was held a prisoner in England for eighteen years. While in captivity he wrote the long poem 'The Kingis Quair' which describes his seeing and falling in love with Lady Joan Beaufort, cousin of Henry V of England. He married her in 1424 and returned to Scotland that year. His personal reign of thirteen years was marked by his determination to increase royal power and to bring law and order to a deeply troubled country. His policies alienated many of the nobility and he was murdered by conspirators at Perth in 1437.

Kathleen Jamie (1962–) was born in Johnstone, Renfrewshire. She studied philosophy at Edinburgh University and has published several collections of poetry including *The Way We Live* (1987), *The Queen of Sheba* (1994) and *Jizzen* (1999).

Robert Alan Jamieson (1958–) was born in Shetland and grew up in Sandness on the west mainland. He studied language and literature at Edinburgh University and has written short stories, plays and novels as well as poetry. 'Sang oda Post War Exiles' is taken from his 1986 collection *Shoormal*.

Tom Leonard (1944–) was born in Glasgow. He is the author of many poems, of works of literary criticism and biography, and of articles and essays on a variety of subjects. All of his writing addresses the politics of language and power and ranges from opposition to militarism and censorship to experiments in concrete and sound poetry. His work has been collected in *Intimate Voices* (1984) and *Reports from the Present* (1995) and he has also written on the radical tradition in 19th-century Scottish poetry in *Radical Renfrew* (1990) and on the poet James Thomson in *Places of the Mind* (1993).

Lady Anne Lindsay (1750–1825) was the daughter of Sir James Lindsay, 5th Earl of Balcarres. In 1793 she married Andrew Barnard, regent of the Cape of Good Hope, and was in South Africa from then until 1802. The words of 'Auld Robin Gray' were composed around 1772 to fit the air of an old song 'The Bridegroom Greets When the Sun Gaes Doon' sung by a much older lady at Balcarres, who, according to Lady Anne, "did not object to its having improper words".

Robert Lindsay (c.1532–80) of Pitscottie was born at Pitscottie in Fife. His *Historie and Cronicles of Scotland* is a continuation of **Hector Boece**'s *Scotorum Historiae*. Lindsay's work, often inaccurate but full of vivid description and energy, was not published until 1728.

Janet Little (1759–1813) was born in Ecclefechan, Dumfriesshire. She had a basic education and became servant to a local clergyman, but was already writing poetry when, in 1788, she approached Mrs Frances Dunlop, a friend and correspondent of **Robert Burns**, in search of work. She was given a job by Mrs Dunlop's daughter at Loudon Castle, and was eventually put in charge of the dairy there. Burns advised and helped her with the publication of her one book of poems, published at Ayr in 1792, *The Poetical Works of Janet Little, The Scottish Milkmaid*. She married John Richmond, a widowed labourer with five children, and died at Loudoun in 1813 after a short illness described as "a cramp in the stomach".

Liz Lochhead (1947–) was born in Motherwell and educated there and at Glasgow School of Art. Her first book of poems, *Memo for Spring*, was published in 1972, and she has since published several more collections, most recently *The Colour of Black & White* (2003). She is also a dramatist, with plays such as *Blood and Ice* (1982), *Mary Queen of Scots Got Her Head Chopped Off* (1987), *Dracula* (1985) and a Scots version of Moliere's *Tartuffe* (1985) to her credit.

R.L.C. Lorimer (1918–96) was educated at Shrewsbury School and Oxford. He served as an anti-tank gunner and intelligence officer during the Second World War. He became a publisher and was first chairman of the Scottish Publishers Association. He edited, and published his father **William Laughton Lorimer**'s Scots translation of the New Testament.

William Laughton Lorimer (1885–1967) was born in Strathmartine, near Dundee. One of the most learned Greek scholars of his generation, he taught Greek at St Andrews University and University College, Dundee, eventually becoming Professor of Greek at St Andrews in 1953. His magisterial translation of the New Testament from Greek into Scots took the last ten years of his life, and he had not fully revised the bulk of it when he died. His son **R.L.C. Lorimer** completed this task and *The New Testament in Scots* was finally published in 1983.

Sir David Lyndsay (c.1490–1555) was the eldest son of David Lyndsay of the Mount, an estate near Cupar, Fife. He was at the court of James IV, and was a close personal attendant of the young Prince James, born in 1512, who became James V on his father's death at Flodden in 1513. Lyndsay was banished from court during the 1520s when the Douglases exercised power, but when James V's personal rule began in 1529 he was restored to favour and knighted. He also became an emissary for the King in his dealings with France, Spain and England. Even after James's death in 1542 Lyndsay's position at court remained secure, and he acted as ambassador to Denmark in 1548. He wrote several long poems, notably 'The Dreme' (1528), 'The Complaynt' (1529) and 'The Testament and Complaynt of Our Soverance Lordis Papyngo' (1538), but is best remembered for his play, the first great Scottish drama, *Ane Pleasant Satyre of the Thrie Estaitis*, first performed at Linlithgow in 1540, then at Cupar in 1552, and at Edinburgh in 1554.

Hugh MacDiarmid (1892–1978) was the pen-name of Christopher Murray Grieve, who was born in Langholm, Dumfriesshire, the son of a postman. After serving in the Royal Army Medical Corps during the First World War he became a journalist in Montrose. His interest in poetry and his desire to revolutionise the political, cultural and literary condition of Scotland increased, and he turned to writing in a revitalised or "synthetic" Scots with the publication of two books of lyric poems, *Sangschaw* (1925) and *Penny Wheep* (1926), followed by his long masterpiece *A Drunk Man Looks at the Thistle* (1926). These works, together with his prolific literary criticism, reviewing and polemical articles and essays, effectively kick-started the Scottish Renaissance. MacDiarmid was irascible and fiery in public and in print, but the private Grieve could be gentle and generous. Both a Nationalist and a Communist, he was almost constantly in opposition to anything "established", and once described himself as "the catfish that vitalises the other torpid denizens of the aquarium". His first marriage ended in divorce, and his second wife, the Cornishwoman Valda Trevlyn, was a staunch ally through times of great poverty, illness and self-imposed exile in Shetland in the 1930s. During this period MacDiarmid turned away from writing in Scots to a science-based, dense English injected with elements of other languages. In the 1950s he and Valda settled at Brownsbank Cottage, near Biggar, Lanarkshire, where they stayed till his death in 1978 and hers in 1989. The cottage is now a museum and the home of a writer-in-residence. Holders of this post have included **James Robertson** and **Matthew Fitt**. MacDiarmid was a complicated and controversial man but hugely influential in many areas of Scottish life and literature.

James McGonigal (1947–) was raised in Dumfries and the West of Scotland, and has taught English in schools in both those areas. He now works in teacher education in the University of Glasgow. He has edited various anthologies of Scottish literature, and published poems and short stories in Scots and English.

Robert McLellan (1907–85) was born at Linmill, Kirkfieldbank, Lanarkshire. Linmill was a fruit farm owned by his grandparents, and McLellan's childhood there was the basis for a serious of stories, of which 'The Cat' is an example, written in a rich yet easy rural Scots. During his life McLellan was better known as a dramatist, again writing in Scots plays such as *Jamie the Saxt* (1937), based on events in the life of James VI in the 1590s, *Torwatletie* (1946), *The Flouers o' Edinburgh* (1947) and *The Hypocrite* (1967). He lived on the Isle of Arran from 1938 until his death.

Adam McNaughtan (1939–) is a Glasgow-born singer and songwriter who came to prominence during the Folk Revival of the 1960s. A former teacher, he has been writing, collecting and singing songs for more than four decades.

Mary, Queen of Scots (1542–87) was born at Linlithgow, the daughter of James V and Mary of Guise. She succeeded to the throne aged six days, following the death of her father, and as a child was a pawn in the struggle between Protestant Reformers and the Royalist faction led by her mother. In 1548 she was sent to France, where ten years later she married Francis, the Dauphin, who succeeded to the French throne in 1559. After Francis's death she returned to Scotland in 1561 and ruled as Queen of Scots in her own right. She married her cousin Henry Stewart, Lord Darnley, in 1565, but his alliance with the Protestant Reformers and his part in the murder of her secretary David Rizzio alienated her from him. Her son, the future James VI, was born in 1566. Mary was herself implicated in the subsequent murder of her husband in 1567, especially when she then married James Hepburn,

Earl of Bothwell, one of the leading plotters against Darnley. She was eventually forced to leave Scotland and take refuge in England, where she was kept in various places of detention as she was seen as a serious threat to the security of Elizabeth's throne. In 1587, after her involvement in a plot to assassinate Elizabeth, she was executed. The sonnet reproduced here was one of several, originally in French, attributed to Mary as having been written by her about the Earl of Bothwell, and which were produced as evidence of her complicity in the murder of Darnley.

James Melville (1556–1614) was the nephew of Andrew Melville, the leading Presbyterian minister of the last three decades of the 16th century. James studied under his uncle at Glasgow University and became Professor of Oriental Languages at St Andrews, but was forced into exile in England in 1584 because of his strong Presbyterian views. He was later minister at Anstruther West and Kilmeny. His lively *Autobiography and Diary*, first published in 1842, is an important source of information on 16th-century Scottish politics and social life.

Alexander Montgomerie (c.1545–98) was a poet at the court of James VI. He served the regent the Earl of Morton during James's minority, but continued in the King's service after Morton's fall. His Catholicism drew him into dangerous alliances and conspiracies and he was banished from Scotland as a traitor, dying in exile abroad. Prior to this fall from grace he was the most important of the group of poets around James, who himself wrote poetry and a book of rules on how to do it. Montgomerie's poems and songs are notable for their style and metrical skill, both of which are displayed in his long poem 'The Cherrie and the Slae', first published in 1597. Montgomerie's writing continued the poetic tradition established at the Scottish court by makars such as **William Dunbar**, but with James VI's accession to the English throne in 1603 this tradition abruptly ceased.

BIOGRAPHICAL AND OTHER NOTES

Edwin Morgan (1920–) was born and educated in Glasgow. After serving in the Royal Army Medical Corps in the Second World War he taught literature at the University of Glasgow, and published his first books in 1952. He has since written many volumes of poetry, plays, essays and criticism, and is one of the most prolific and multi-faceted of contemporary writers. His work is full of humour as well as serious literary intent, and deals with a huge range of themes, including science, space exploration, Glasgow, history, politics, and industrial and social change. A master of form, from traditional sonnets to concrete poetry, he has also translated poetry from many languages.

Stephen Mulrine (1937–) was born in Glasgow, and is a poet, playwright and translator, mainly of Russian drama, ranging from Pushkin, Gogol and Chekhov, to the contemporary plays of Gelman and Petrushevskaya.

Carolina Oliphant (1766–1845) was born at Gask, Perthshire into a staunchly Jacobite family. In 1806 she married her cousin Major William Murray Nairne, and on his restoration to his forfeited estates and peerage became Lady Nairne. They lived in Edinburgh until his death. Thereafter she moved to Bristol and travelled in Ireland and Europe before settling at Gask. She wrote many songs, often Jacobite in subject and sentiment, under the pseudonym 'Mrs Bogan of Bogan'. Among her best known songs are 'Caller Herrin'', 'Will Ye No Come Back Again?', 'The Land o' the Leal', 'The Hundred Pipers' and 'The Laird o' Cockpen'.

Janet Paisley (1948–) is a poet and playwright, a writer of fiction and non-fiction and a scriptwriter for television and cinema. Among her many publications are the short story collection *Wild Fire*, poetry collections *Ye Cannae Win*, *Reading the Bones* and *Alien Crop*, and the novel *Not For Glory*, from which 'Born Every Minute' is taken.

Andrew Philip (1975–) grew up near Falkirk. After leaving school, he lived in Berlin for twenty months before studying linguistics at the University of Edinburgh. In 1999–2000, he ran the Scottish Poetry Library's project to develop links between members of the Scottish Parliament and contemporary Scottish poets. His work has appeared in Scottish and American publications, and his poem 'A Rough Guide to Monday Morning' was a Scottish Book Trust National Poetry Day postcard in 2002.

The Proclaimers are twin brothers Craig and Charlie Reid, who grew up in Edinburgh, Cornwall and Auchtermuchty, Fife. Their first album, *This is the Story*, was released in 1987 and included tracks like 'Throw the R Away' and 'Letter from America', both also released as singles. Subsequent albums include *Sunshine on Leith* (1988), *Hit the Highway* (1994), *Persevere* (2001) and *Born Innocent* (2003). 'I'm Gonna Be (500 Miles)' from *Sunshine on Leith* was the theme song to the film *Benny and Joon* (1993), ensuring massive publicity in North America and beyond. With an international following, the Proclaimers tour all over the world, and are one of the most successful Scottish music acts of all time.

Allan Ramsay (1684–1758) was born in Leadhills, Lanarkshire, and grew up there until he was sent to Edinburgh in 1700 as apprentice to a wigmaker. He became a bookseller and, in 1725, founded the first circulating library in Britain. He also opened a theatre which was later closed by the city authorities. He wrote many poems, the best of which are in Scots, and was responsible for beginning the 18th-century revival in Scots poetry which continued with **Robert Fergusson** and **Robert Burns**. His verse-drama or "pastoral comedy", *The Gentle Shepherd* (1725), was popular for most of the 18th and 19th centuries. Ramsay also generated a new interest in earlier literature Scots with his collection *The Ever Green* (1724), much of which he lifted from the **Bannatyne Manuscript**, and, from 1724 to 1737, his five-volume gathering of traditional songs and ballads, *The Tea-Table Miscellany*.

BIOGRAPHICAL AND OTHER NOTES

Rainer Maria Rilke (1875–1926) was born in Prague, the son of a railway official. His father sent him to a military academy, which Rilke disliked, and subsequently to a business school at Linz. He also studied at the universities of Prague, Munich and Berlin, and spent much of his adult life in Russia, Italy, Sweden, Denmark, Paris and finally Switzerland. He struggled to find a balance between his poetic vision and an unsettled personal life which was further disrupted by the First World War. Before the War he wrote his *Duineser Elegien* (*Duino Elegies*) at Duino, the castle home of his friend Princess Marie von Thurnun Taxis: this work was finally completed in Switzerland and published in 1923. *Die Sonette an Orpheus* (*Sonnets to Orpheus*) appeared in the same year. Rilke suffered from leukaemia but died of an infection contracted after pricking himself on a rose thorn.

James Robertson (1958–) is a poet and writer of fiction and non-fiction. His first book of short stories, *Close*, was published in 1991, and he has since produced another volume of short stories, *The Ragged Man's Complaint* (1993), and two novels, *The Fanatic* (2000) and *Joseph Knight* (2003). His poetry includes *I Dream of Alfred Hitchcock* (1999), and his translations of Baudelaire appear in *Fae the Flouers o Evil* (2001). In 2000 he compiled an edition of the *Selected Poems* of **Robert Fergusson** to mark the 250th anniversary of Fergusson's birth.

David Rorie (1867–1946) was born in Edinburgh but grew up in Aberdeen. He trained as a doctor and worked as a general practitioner in Cults from 1905 to 1933, also seeing service in France during the First World War. He had a huge knowledge of the song and folklore tradition of the north-east, and wrote many poems and songs in Scots.

Edmond Rostand (1868–1918) was a French dramatist whose work represents the final flowering of the Romantic tradition of the 19th century. He wrote several plays but is best known for *Cyrano de Bergerac* (1897), which was a huge popular success when it first appeared. Rostand died a victim of the worldwide flu epidemic of 1918.

Suhayl Saadi (1961–) is an award-winning, widely-published, Glasgow-based writer whose work has often been broadcast on BBC radio. His book *The Burning Mirror* was short-listed for the Saltire First Book Prize in 2001. A radio-play, *The Dark Island* will be broadcast on BBC Radio 4 in 2004 and his novel, *Psychoraag*, is also due out in 2004.

Alexander Scott (c.1515–83) was a churchman and poet. Little is known of his early life, but his connections with the Erskine family took him to France and the court of the young Queen **Mary**. He may later have become a Protestant. In 1565 he was a canon of Inchaffray, Perthshire, and he became a wealthy landowner there and in Fife and Midlothian. Thirty-six of his poems, many apparently written to be sung, survive in the **Bannatyne Manuscript**.

Sir Walter Scott (1771–1832) was born in Edinburgh, the son of a lawyer. Infant paralysis left him permanently lame in his right leg, and he was sent to his grandfather's farm in Tweeddale in the Borders to recuperate. His love and knowledge of Borders history and folklore date from this period of his childhood. He was educated at the High School of Edinburgh, and then studied law at the University, eventually becoming an advocate. He divided his time between the capital and the Borders where he collected ballads from local singers and storytellers, which he published, sometimes editing or "improving" them ('Thomas the Rhymer', for example), in *The Minstrelsy of the Scottish Border* (1802–03). In 1797 he married Charlotte Carpenter. They had two sons and two daughters. In 1799 he was appointed Sheriff-Depute of Selkirkshire, and in 1806 he became Clerk to the Court of Session in Edinburgh. Most of his adult life was therefore divided between Edinburgh and the Borders, where he built his house, Abbotsford, near Galashiels. His earliest literary productions were epic romantic poems such as *The Lay of the Last Minstrel* (1805), *Marmion* (1808) and *The Lady of the Lake* (1810), all of which were extremely popular. In 1814 he published, anonymously, his first novel, *Waverley*. On the strength of its massive success, he wrote a further twenty-five, mainly historical novels, which were published as by "the Author of Waverley" and which are known collectively as the Waverley Novels. They include *Guy Mannering* (1815), *The Antiquary* (1816), *Old Mortality* (1816), *Rob Roy* (1818), *The Heart of Midlothian* (1818), *The Bride of Lammermoor* (1819), *Ivanhoe* (1820), *Redgauntlet* (1824) and *The Fair Maid of Perth* (1828). In 1818 he was created a baronet, and in August 1822 he organised the visit of George IV to Edinburgh. In 1826 he was financially ruined by his relationship with his printers and publishers when their businesses failed, but determined to "work off" his debts through his writing. These efforts further weakened his already poor health and he died in 1832 at Abbotsford.

William Shakespeare (1564–1616) was born in Stratford-upon-Avon, the son of a glover and Mary Arden, a woman of higher social class, but little more is known of his early years. He married Anne Hathaway in 1582, and they had at least three children. In 1594 he became a leading member of the newly formed theatre company the Lord Chamberlain's Men (later the King's Men), which from 1599 occupied the Globe Theatre, and from 1608 Blackfriars, in London. As well as some forty plays, he wrote several long poems and 154 sonnets.

William Soutar (1898–1943) was born in Perth, and educated there until 1916, when he joined the Royal Navy for the rest of the First World War. It was while at sea that he first developed symptoms of the illness, later identified as spondylitis or ossification of the spine, which would confine him to his bed for the last thirteen years of his life. He studied English literature at Edinburgh University and began to publish poetry in 1923. Ill health prevented him from working and by 1930 he was permanently bedridden. In the 1930s he began to write in Scots, both for adults and children – he once wrote to **Hugh MacDiarmid** that "if the Doric is to come back alive, it will come first on a cock-horse". His father, a joiner, redesigned a downstairs room of their house in Wilson Street, Perth, so that Soutar could see as much of the world outside his window as possible. A convinced nationalist, he was friendly with other writers of the Scottish Renaissance, including **Helen Cruickshank**, and his journals are a remarkable portrait of a lively mind trapped in a failing body. The house in which he lived and died is now occupied by a writer-in-residence. One of the first holders of this post was **Robert Alan Jamieson**.

Lewis Spence (1874–1955) was born James Lewis Spence in Broughty Ferry, by Dundee. He studied dentistry at Edinburgh University but turned to journalism instead. He studied and wrote widely on mythology, folklore and anthropology. Like **Hugh MacDiarmid**, he turned to writing poetry in a Scots that incorporated old and rare words, but the initial sympathy between the two poets later turned to bitterness and argument. Spence was a committed nationalist and founder-member of the National Party of Scotland in 1928.

Alicia Anne Spottiswoode (1810–1900) was born at Westruther, Berwickshire. In 1836 she married Lord John Scott, brother of the 5th Duke of Buccleuch, and thus became Lady Scott. Under her maiden name she wrote songs and poems, some with Jacobite sentiments, others reworkings of older versions of songs including 'Annie Laurie'. For the last forty years of her life, after her husband's death, she managed the Spottiswoode estates in Berwickshire.

Robert Louis Stevenson (1850–94) was born in Edinburgh, the son of an engineer to the Board of Northern Lighthouses. His childhood was one of frequent illness. He began studying engineering at Edinburgh University but then changed to law. He became an advocate in 1875 but his heart lay in travel and in writing. In France he met and married the American Fanny Osbourne, and with her and her son Lloyd travelled to America. His first book, *An Inland Voyage*, an account of a canoe trip in France, appeared in 1878, and he went on to publish many essays, poems and stories, including the Scots story

'Thrawn Janet', as well as novels like *Treasure Island* (1883), *Kidnapped* (1885), *The Strange Case of Dr Jekyll and Mr Hyde* (1886), *The Master of Ballantrae* (1888) and the unfinished *Weir of Hermiston* (published posthumously in 1896). Always in search of a climate and location that would help his poor health, Stevenson and Fanny travelled widely, eventually settling in Samoa in the South Pacific, where he died at the age of forty-four.

Irvine Welsh (1958–) grew up in Leith and Muirhouse in Edinburgh, and published his first novel *Trainspotting* in 1993. One of the publishing sensations of the 1990s, it was made into a successful stage-play and film, and was followed by a collection of short stories, *The Acid House* (1994), and novels including *Marabou Stork Nightmares* (1995), *Filth* (1998), *Glue* (2001)and *Porno* (2002).

INDEX OF FIRST LINES OF POEMS, SONGS AND DRAMA

INDEX OF AUTHORS AND TRANSLATORS

INDEX OF AUTHORS